KB076759

지난 몇 년의 발걸음을 정리하면서
세상에 내놓을 글을 저울질한다.
길에서 주운 생각을 묵히고 다듬어 다시 길 위로 풀어 보낸다.
누군가의 가슴에 닿으리라는 기대를 품는다.

인제를 걷다

글 · 사진 **김소일**

BOOKK

프롤로그

훌쩍 인제에 닿다

인제는 그리 멀지 않다. 서울에서 시외버스로 한 시간 반이면 닿는다. 그 정도 거리에 사계절 아름답고 매혹적인 자연이 있다. 산과 강, 늪과 재, 숲과 물이 어우러진 '하늘 내린' 비경이다. 산줄기 사이로 억만년 세월이 빚어낸 경이로운 계곡이 있고, 새소리, 물소리, 바람 소리가 들리는 숲길이 이어진다. 그 길섶마다 휴식과 위로, 정화와 치유의 기운이 바람을 타고 흐르고 있다.

일을 놓은 뒤로 좀 막연하고 불안했나 보다. 새로운 일을 두려워했는지 일자리가 없었는지 잘 모르겠다. 관계들이 끊어졌는지 스스로 도망쳤는지 경계가 흐릿하다. 어쨌든 적적하고 외로웠다. 조금 우울하고 때론 슬펐다. 이따금 하늘을 보며 눈물을 감췄던가. 그때 인제의 자연이 나를 불렀다.

인제군은 산과 물이 아름다운 고장이다. 수려한 계곡과 빼어난 능선을 갖춘 설악산이 있고, 금강과 설악의 물줄기를 모은 소양강이 흐른다. 내린천과 인북천의 물길이 휘도는 곳에 드문드문 마을이 있고, 자연의 품성을 닮은 소박한 사람들이 깃들어 살아간다.

훌쩍 인제로 떠났다. 일주일에 한두 번, 때로는 세 번까지도 인제를 걸었다. 무슨 완주니 정복이니 하는 목표는 없었다. 그냥 산길과 숲길, 마을 길을 내키는 대로 걸었다. 하늘도 보고 구름도 보고 바람도 느끼며 느리게 걸었다. 사진도 찍고 멍때리기도 하면서 시간을 보내다 돌아오곤 했다. 그렇게 하루 다녀오면 또 며칠은 살아낼 수 있었다.

대부분 혼자 걸었다. 아내나 친구와 함께 나선 적도 있지만 그리 많지 않았다. 그렇게 밟은 모든 길을 다 글로 옮기진 못했다. 하루 종일 걷고도 쓸만한 글감을 떠올리지 못한 날도 많았다. 애써 집착하지 않았다. 바람이 실어다 준 생각을 가슴으로 붙잡은 만큼만 순간순간 메모로 남겼다.

배낭 속에 책 한 권을 넣고 다녔다. 오가는 버스 안에서, 걷다가 쉴 만한 곳에서 몇 페이지씩 들췄다. 숲속에서 읽는 시 한 편이 마음을 다스렸다. 길에서 떠오른 문학과 역사의 자료를 돌아와 책상 위에서 보태 넣었다. 자연은 인문과 결합할 때 진한 향기를 흩는다.

이제 지난 몇 년의 발걸음을 정리하면서 세상에 내놓을 글을 저울질한다. 길에서 주운 생각을 묵히고 다듬어 다시 길 위로 풀어 보낸다. 누군가의 가슴에 닿으리라는 기대를 품는다. 이 책은 인제를 홍보하는 관광 안내서가 아니다. 과장된 찬가는 경계했다. 나그네의 허기를 달래준 맛집 정보도 하나 없다. 그런 정보라면 인터넷 공간에 차고 넘친다.

이 글은 그저 인제의 아름다운 길 위에서 생각하며 걷고, 걸으며 생각한 내 걷기의 기록일 뿐이다. 그 주유와 사유의 흔적 중에서 지나치게 사사로운 부분은 뺐다. 다만 어디를 어떻게 걸었는지, 그 시작과 끝, 소요 시간 등 최소한의 정보는 담으려고 했다. 혹시라도 나처럼 훌쩍 인제에 닿을 사람에게 약간의 길잡이라도 되지 않을까 싶었다. 아프고 처연했던 시기에 내 삶을 지탱해준 인제의 자연에 감사한다.

2024. 3. 2 김 소 일

목차

물은 스스로 길을 연다

소양강 둘레길

강은 숲에서 발원해 마을을 휘돌고 들을 가르며 흐른다. 산은 강을 낳고 강은 들을 적셔 역사와 문명을 잉태한다. 민족의 젖줄인 한강은 백두대간의 여러 계곡에서 솟아나 남한강과 북한강으로 흐르다가 두물머리에서 합류해 바다에 이른다. 그 굽이마다 민초들의 질박한 삶이 있고, 영욕의 역사가 흐른다.

물은 스스로 길을 연다. 낮은 곳으로 길을 내며 흐른다. 물길을 따라 걷다 보면 숲을 만나고 바람을 만나고 구름을 만난다. 마침내 바다에 이를 때까지 물은 곧 길이다. 물길은 오르지 않는다. 낮게 더 낮게 흐를 뿐 높은 곳을 바라지 않는다. 언덕과 고개를 만나면 잠시 휘돌고 머물며 호수가 되어 길을 찾는다.

물길이 막힌 곳에서 바람이 길을 연다. 바람은 물의 혼이다. 물은 바람을 차고 올라 구름으로 흐르다가 다시 비가 되어 내린다. 그러므로 물이 곧 바람이고 바람이 곧 구름이다. 구름과 햇살, 바람과 강물, 숲과 들, 하늘과 땅이 서로 안고 품으며 하나가 되어 흐른다. 산맥과 평야, 언덕과 호수, 가재와 붕어, 토끼와 노루, 혼과 백, 있는 것과 없는 것이 물고 물리며 흐르고 있다.

강원의 산하는 장엄하다. 동해의 아침 해가 솟아오를 때 설악의 암봉이 가장 먼저 빛난다. 백두에서 뻗어 내린 한반도의 등줄기는 금강과 설악에서 용틀임하며 기암괴석의 암릉미를 분출한다. 그리고 마치 궁합이라도 맞추려는 듯, 설악의 한 자락을 뻗어 유순한 능선과 울창한 수림을 갖춘 점봉산과 방태산을 품어낸다. 그 산줄기 사이로 백담계곡, 진동계곡, 미산계곡 같은 수려한 계곡이 있고, 그 물길을 모은 인북천과 내린천이 소양강으로 흘러든다.

소양강 둘레길은 강원도 인제의 소양강 시작 구간에 설정한 아름다운 길이다. 강변을 걷는 길이지만 실제로는 숲길이기도 하다. 강의 양쪽 산속으로 적당한 높낮이의 숲길을 내고 강을 보며 걷도록 했다. 산과 물이 어우러진 길이다. 소양강의 다리 두 개를 활용하면, 강을 따라 한 바퀴 도는 둘레길이 만들어진다. 인제읍 살구미교에서 시작해 군축교까지 갔다가 반대쪽으로 되돌아오는 길이다. 11km 남짓, 대략 다섯 시간 정도는 잡아야 한다.

인제 시외버스터미널에서 굴다리를 빠져나가면 햇빛에 반짝이는 소양강이 보인다. 왼쪽으로 가면 합강정, 오른쪽으로 가면 살구미교 방향이다. 살구미교까지는 강변길로 1km쯤 걷는다. 풍광이 아름답고 시원해서 언젠가 이 길만 한번 따로 걸어야겠다고 마음먹었다. 강변길의 전체 길이는 3km쯤 된다.

살구미교를 건너면 살구미 마을이다. 소양강이 마을을 감싸며 S자로 휘돌아 나간다. 장풍득수(藏風得水)라고 했던가. 봄날의 햇살 속에 바람도 물도 느리게 흐른다. 계곡을 힘차게 달려온 물이 속도를 떨구며 한결 유순해진다. 물굽이에 모래가 쌓이면서 살구미니, 금바리니 하는 지명이 생겼다. 살구미는 사구(沙丘)에서 왔을 것이다. 인제군의 지명 표기는 사구미(沙丘尾)로 되어있다.

산은 무심하고 물은 유장하다. 산은 인간의 희로애락과 권력의 흥망성쇠에 입을 다문 채 수 억 년 그 자리에 있다. 물은 잡초처럼 질긴 생명의 고락과 애환을 담아내며 굽이쳐 흐른다.

그토록 흐르고도 흐를 것이 있어서 강은
우리에게 늘 면면한 희망으로 흐르던가.
삶은 그렇게 만만하지 않다는 듯
굽이굽이 굽이치다 끊기다
다시 온몸을 세차게 뒤틀던 강은 거기
아침 햇살에 샛노란 숭어가 튀어오르게도
했었지. _(중략)
우리가 강으로 흐르고
강이 우리에게로 흐르던 그 비밀한 자리에
반짝반짝 부서지던 햇살의 조각들이여,
삶은 강변 미루나무 잎새들의 파닥거림과
저 모래톱에서 씹던 단물 빠진 수수깡 사이의
이제 더는 안 들리는 물새의 노래와도 같더라. _(생략)

_고재종, 앞강도 야위는 이 그리움

마을을 지나면서 숲길이 시작된다. 얼마쯤 걷다가 눈길을 끄는 글씨를 만났다. 길옆 사유지 입구에 '소양강 둘레길'이라 쓴 장승이 서 있다. 신영복 선생의 서체로 보였다. 사유지 주인에게 문의하니 짐작대로였다. 신영복은 출소 후에 인제군 미산계곡에 한동안 머물며 인문학 강좌를 열었다. 인제군민이 소양강 둘레길을 조성할 때 신영복 선생에게 로고로 쓸 글씨를 부탁했다고 한다. 그 글씨를 장승에 새겨 둘레길 곳곳에 이정표로 세웠다. 가로로 써준 글씨를 세로로 새겼으니 어깨동무체의 맛이 깨졌다. 지금은 다 철거하고 한두 개만 남았다.

소양강 둘레길 1코스는 중간에 두 갈래로 나뉜다. 난이도를 선택할 수 있다. 하늘길은 2시간짜리 등산길이고, 내린길은 좀 수월한 강변 숲길이다. 두 길은 나중에 다시 만난다. 편한 길을 택해 강을 보며 걸었다. 하늘길은 아마도 전망이 더 뛰어난 길이지 싶다. 나중에 그쪽 길로 온 사람들과 만났는데, 혀를 내두르며 가지 말라고 했다. 오히려 호기심이 솟아 다음에 가볼 마음이 생겼다.

군축교는 예전에 인제 선착장이 있던 곳이다. 춘천의 소양강 댐에서 배를 타고 양구를 거쳐 인제까지 배가 드나들었다. 전방에 배치되는 군 신병들이나 휴가 나오는 장병들이 배를 타고 다녔다. 지금은 도로 사정이 좋아지면서 수상 운송 수요가 크게 줄었다. 소양호의 물이 가득 차는 경우도 드물다.

강물은 이제 범람을 모른다
좌절한 좌파처럼 추억의 한때를 가지고 있을 뿐이다
그는 크게 울지 않는다
내면 다스리는 자제력 갖게 된 이후
그의 표정은 늘 한결같다
그의 성난 울음 여러 번 세상 크게 들었다
놓은 적 있다. 그러나 그것은 이미 약발 떨어진 신화
그의 분노 이제 더 이상 저 두껍고 높은
시멘트 둑 넘지 못할 것이다
_이재무, 한강(부분)

군축교를 건너면 2코스와 3코스가 분리된다. 2코스는 강을 따라 하류 쪽으로 9km를 더 걷는 길이다. 3코스는 상류 쪽으로 되돌아가 한 바퀴를 마무리한다. 2코스의 끝에는 인제38대교가 있다. 44번 국도를 달리다 보면 인제 못 미쳐서 왼쪽으로 보이는 현수교가 인제38대교이다. 강변에 소양강의 푸른 물을 바라보는 쉼터와 전망대가 있다. '38선'이라고 쓴 바윗돌이 보이고, 조그만 카페도 하나 있다. 대략 이 부근이 북위 38도 선이 지나가는 지점이다.

인제는 분단의 땅이다. 38선과 휴전선을 품고 있다. 38선은 인제군의 허리를 자르며 지나간다. 그 북쪽의 인제 땅은 모두 수복지구에 해당한다. 6.25 전쟁 막바지에 국군이 치열한 전투를 통해 되찾으면서 우리 땅이 되었다. 그때 국군이 흘린 숭고한 피가 아니었다면 지금 설악산도 북한 땅에 속했을 것이다. 인제군 곳곳에 격렬했던 공방전의 상흔과 전적비, 위령탑이 남아 있다. 살구미교 옆 작은 공원에도 자유수호희생자위령탑이 있다. 소양강 둘레길 한 바퀴는 위령탑 앞에서 시작하고 끝난다.

숲길에서 보는 강물은 그 흐름이 느릿하다. 한결 순해진 물결은 보기에 편하고 부드럽다. 산골짜기를 달려올 때의 맑고 시원함은 잃어버렸지만, 대신 도도하게 흐르는 여유와 격조를 품는다. 우리도 저와 같을 수 있다면 삶의 후반이 조금은 아름다울 듯하다. 긍정과 관용, 고요와 평화, 침묵과 사색은 황혼과 함께 다가올 설레는 품격이다.

허무와 절망 위에 피어난 슬픈 위로

박인환 문학관

서울에서 동해안까지는 두 시간이 채 안 걸린다. 서울양양고속도로가 생기면서 동해와 설악의 수려 절경이 훨씬 가까워졌다. 그래도 굳이 옛길로 돌아가고 싶어진다. 터널이 많은 새 길은 정이 안 간다. 홍천에서 인제를 거쳐 미시령이나 한계령을 넘는다. 시간 여유가 있다면 인제에서 쉬어가는 호사를 누릴 수 있다.

인제는 44번 국도변에 있는 작은 읍이다. 이곳에서 차를 멈추는 이유는 시인 박인환을 만날 수 있기 때문이다. 「목마와 숙녀」의 시인 박인환 문학관이 그곳에 있다. 인제는 박인환의 고향이다. 박인환은 1926년 인제군 인제면 상동리에서 태어났다. 문학관은 그의 생가터 바로 옆에 세워졌다. 생가는 남아있지 않고, 현재 그 자리에는 조각 작품이 서 있다.

문학관 마당에 들어서면 시인의 동상과 조형물이 맞아준다. 외곽을 한 바퀴 둘러 보고, 잠시 벤치에 앉아 '목마와 숙녀'를 읊조려 본다. 고

교 시절 시 낭송을 자주 시켰던 국어 선생님 덕분에 외우게 된 시이다. 시어의 감미로움도 있지만, 그때는 좀 긴 시를 외우며 은근히 빼기는 맛이 있었다. 순수와 치기의 날들이었다.

> 한 잔의 술을 마시고
> 우리는 버지니아 울프의 생애와
> 목마를 타고 떠난 숙녀의 옷자락을 이야기한다
> 목마는 주인을 버리고 거저 방울 소리만 울리며
> 가을 속으로 떠났다 술병에서 별이 떨어진다. _ (중략)
> 인생은 외롭지도 않고
> 거저 잡지의 표지처럼 통속하거늘

한탄할 그 무엇이 무서워서 우리는 떠나는 것일까
목마는 하늘에 있고
방울 소리는 귓전에 철렁거리는데
가을바람 소리는
내 쓰러진 술병 속에서 목메어 우는데
_박인환, 목마와 숙녀

이 시의 매혹은 그 모호성에 있다. 목마가 무엇을 상징하는지 우리는 모른다. 숙녀와 소녀의 정체도 알 듯 말 듯 하다. '두 개의 바위틈을 지나 청춘을 찾은 뱀'은 뭘까. 그리스 신화인가, 구약 성경인가. 버지니아 울프는 누구인가. 자살로 마감했다는 그의 생애와 작품세계를 알면 이 시를 이해할 수 있을까. 아니다. 그래도 여전히 모호하기는 마찬가지일 것이다. 시인 신경림은 '근원을 알 수 없는 슬픔과 외로움'이라 했다.

어쨌든 이 시를 처음 접했던 열여섯 소년에게는 알 수 없는 매력으로 다가왔다. "인생은 외롭지도 않고 그저 잡지의 표지처럼 통속하거늘" 같은, 저 허무적이고 감성적인 시어에 빠져든 게 아닐까 싶다. 바로 이런 점 때문에 박인환에 대한 문단의 평가는 대체로 차갑다. 그저 낭만적이고 치기 어린 시를 쓰다 일찍 세상을 떠난 시인 정도로 기억될 뿐이다. 시인 김수영의 평가가 매몰차다. "인환! 너는 왜 이런, 신문 기사만큼도 못한 것을 시라고 쓰고 갔다지?"

이런 평가에 굳이 토를 달고 싶진 않다. 수긍할 대목도, 반발하고 싶은 대목도 있다. 그래도 뭔가 아쉽다. 내 청춘의 시인 박인환을 이렇게 놓아버려야 할까. '센티멘털리즘'을 다른 말로 번역하면 나는 '위로'가 아닐까 싶다. 전쟁의 상처와 가난으로 가슴마다 슬픔과 고통이 가득한 시대였다. 그 허무와 절망을 어루만지는 정서가 센티멘털리즘 아니었을까. 지금에 와서야 값싼 감상주의로 깎아내릴 수 있지만, 어쩌면 당대에 가장 필요한 정서였을지 모른다. 그 위로의 시대를 넘어서 비로소 현실이니 참여니 하는, 보다 냉철한 문학사조가 등장할 수 있었을 것이다. 덧붙여, 박인환이 센티멘털한 시만 썼던 것은 결코 아니다. 그 강력한 반박으로 내세울 만한 시 한 편이 있다.

저 묘지에서 우는 사람은 누구입니까.
저 파괴된 건물에서 나오는 사람은 누구입니까.
검은 바다에서 연기처럼 꺼진 것은 무엇입니까.
인간의 내부에서 사멸된 것은 무엇입니까.
일년(一年)이 끝나고 그 다음에 시작되는 것은 무엇입니까.
전쟁이 뺏어간 나의 친우는 어데서 만날 수 있습니까.
슬픔 대신에 나에게 죽음을 주시오.
인간을 대신하여 세상을 풍설(風雪)로 뒤덮어 주시오.
건물과 창백한 묘지 있던 자리에
꽃이 피지 않도록.

하루의 일년(一年)의 전쟁의 처참한 추억은
검은 신이여
그것은 당신의 주제일 것입니다.
_박인환, 검은 신이여

목마木馬와 숙녀淑女
한잔의 술을 마시고
우리는 버어지니아 울프의 생애生涯와
목마木馬를 타고 떠난 숙녀淑女의 옷자락을 이야기 한다
목마木馬는 주인主人을 버리고 거저 방울 소리만 울리며
가을 속으로 떠났다. 술병에서 별이 떨어진다
상심傷心한 별은 내 가슴에 가벼웁게 부서진다
그러한 잠시 내가 알던 소녀少女는
정원庭園의 초목草木 옆에서 자라고
문학文學이 죽고 인생人生이 죽고
사랑의 진리眞理마저 애증愛憎의 그림자를 버릴 때
한 때는 고립孤立을 피하여 시들어가고
이제 우리는 작별作別하여야 한다
술병이 바람에 쓰러지는 소리를 들으며
늙은 여류작가女流作家의 눈을 바라보아야 한다
....등대燈臺에....
불이 보이지 않아도
거저 간직한 페시미즘의 미래未來를 위하여
우리는 처량한 목마木馬소리를 기억記憶하여야 한다
모든 것이 떠나든 죽든
거저 가슴에 남은 희미한 의식意識을 붙잡고
우리는 버어지니아 울프의 서러운 이야기를 들어야 한다
두개의 바위 틈을 지나 청춘青春을 찾은 뱀과 같이
눈을 뜨고 한잔의 술을 마셔야 한다
인생人生은 외롭지도 않고
거저 잡지雜誌의 표지表紙처럼 통속通俗하거늘
한탄할 그 무엇이 무서워서 우리는 떠나는 것일까
목마木馬는 하늘에 있고
방울소리는 귓전에 철렁거리는데
가을바람 소리는
내 쓰러진 술병 속에서 목메어 우는데

이 시는 전쟁의 폐허 위에서 그 참혹한 현실을 초래한 신에게 반항적 질문을 던진다. 행과 행 사이에 느리고 장중한 침묵과 저항이 있다. 신의 선함을 부정하고 '검은 신'으로 몰아세운다. 세상을 풍설로 뒤덮고 차라리 꽃을 피우지 말아 달라는 절규는 신의 질서를 향한 강력한 도전이다. 그 어떤 참여시보다도 뜨거운 문제의식이다. 이 시 한 편으로 박인환은 스스로 당당히 방어한다.

문학관은 2층 건물이다. 1층은 시인이 주로 활동했던 서울 명동과 종로의 모습을 드라마 세트처럼 재현해 놓았다. 2층에는 시인의 문학세계를 보여주는 작품과 사진, 당시의 신문과 잡지 등 기록물들을 전시했다.

마리서사(茉莉書舍)는 해방되던 해 박인환이 종로 3가 2번지 낙원동 입구에 열었던 서점이다. 지금 봐도 세련된 상호이다. 프랑스의 화가 겸 시인 마리 로랑생(Marie Laurencin)의 이름을 땄다고 한다. 서점을 재현한 모습을 보면 한문과 한글, 프랑스어로 쓴 상호가 꽤나 멋스러워 보인다. 당시 사진도 남아있는데 문학 · 시 · 연극 · 예술(Litterature · Poesie · Drame · Artisque) 전문 서점을 표방하고 있다. 말하자면 이 서점은 박인환이 추구했던 문학과 예술의 꿈을 담은 공간이었다. 그는 아마도 한국의 몽마르트르를 꿈꾼 듯하다. 마리서사에 대해 시인 김광균이 기록을 남겼다.

> 그 후 그가 책 가게를 열게 되어 나는 헌책을 팔려고 자주 그의 가게에 발을 들여놓게 되었고, 그가 이상한 시를 좋아한다는 것도 알게 되었다. … 그의 책방에는 그 방면

> 의 베테랑들인 이시우, 조우식, 김기림, 김광균 등도 차차 얼굴을 보였고, 그밖에 이흡, 오장환, 배인철, 김병욱, 이한직, 임호권 등의 리버럴리스트도 자주 나타나게 되어서 전위예술의 소굴 같은 감을 주게 되었지만, 그때는 벌써 마리서사가 속화의 제1보를 내딛기 시작한 때였다.
>
> _김광균, 「마리서사」

서점을 열었을 때 박인환은 스무 살이었다. 그는 마리서사를 매개로 김광균·김수영·김기림·오장환 같은 당대의 유명 문인들과 교류할 수 있었다. 이듬해(1946년) 국제신보에 「거리」라는 시를 발표하며 등단하게 된다.

유명옥은 시인 김수영의 어머니가 충무로4가에서 운영한 빈대떡집이라고 한다. 이곳에서 김수영, 박인환 등 시인들이 모여 한국 현대시의 방향을 놓고 토론을 벌이곤 했다. 동인지 『신시집』 제1권 발간의 구상이 태동한 공간으로 소개하고 있다.

봉선화다방은 해방 후 명동에 처음 생긴 고전음악 전문점이었다. 당시의 다방은 차 마시고 음악 듣는 곳 이상이었다. 시 낭송의 밤이나 출판기념회가 열렸고, 미술 전시회나 시화전, 작곡발표회도 열렸다. 해외 출국을 앞둔 환송회나 귀국보고회도 다방에서 열렸다. 박인환도 이곳에서 여러 문화예술인과 어울렸다.

모나리자 역시 박인환이 자주 들렀던 다방이었다. 박인환은 죽기 얼마 전 모나리자에 술값 대신 맡겼던 만년필을 찾아다가 김수영 시인에게 주었다는 일화가 남아있다. 당시 문인들은 신문에 글을 쓰고 원고료를 받는 것이 주된 생계 수단이었다. 문인들은 우연히 신문사 편집국장이라도 만나기를 고대하며 다방에 드나들었다. 모나리자의 문인들은 '모나리자파'로 불렸는데, 명동에는 '문예싸롱파'도 있었다고 적혀 있다. 모나리자는 워낙에 외상이 많고 갚는 사람이 드물어 결국 문을 닫았다고 한다. 모나리자파들은 새로 생긴 동방싸롱으로 옮겨갔다. 이곳은 문인뿐만 아니라 음악, 영화, 연극, 미술 쪽의 인사들도 많이 출입해 항상 활기찼다고 한다.

포엠은 위스키 시음장으로 문을 연 뒤, 값싼 양주를 공급해 명동 예술인들의 사랑을 받았던 곳이다. 저녁이면 일과를 마친 문인 예술인들이 이곳에 모여들었다. 당시 이봉구, 박인환 같은 명동의 문인들은 '명동백작'으로 불리기도 했다. 박인환은 조니 워커를 즐긴 것으로 알려져 있다. 포엠 역시 많은 외상으로 경영난을 겪다가 결국 폐업했다.

문학관 2층에는 저 유명한 '은성'이 있다. 탤런트 최불암의 어머니가 운영했다는 술집이다. 당대 문화인들의 사랑방 역할을 하면서 많은 일화를 간직한 곳이다. 기자 겸 작가 이봉구를 비롯해, 김수영, 변영로, 전혜린, 오상순, 천상병 같은 문인들이 단골로 드나들었다. 바로 옆에 국립극장이 있어서 연극인들도 자주 찾았다.

좋아하는 시인의 문학관에서 기껏 당대의 다방과 술집, 싸롱을 보는 느낌은 조금은 당혹스럽다. 어쩌자고 저토록 정성들여 재현했단 말인가. 커피와 위스키 따위로 흉내 내던 서구에 대한 동경 말고는 그리 내세울 것이 없던가. 낭만으로 포장한 저 나약한 지식인들의 궁상을 어찌할거나. 1950년대였다. 전쟁의 시대였고, 또한 열정의 시대였다. 궁핍의 시대였고, 동시에 낭만의 시대였다. 이상과 현실, 의욕과 좌절,

희망과 비탄이 뒤엉킨 혼돈의 시대였다. 불운한 천재와 고등룸펜을 구분할 수 없었다. 문화예술은 그저 사치스러운 취미에 불과했을까. 무언가에 취하지 않고는 살아내기 어려웠을까. 전쟁의 폐허 위에 피어난 여린 꽃들처럼 애처롭다.

그렇게 문학과 인생, 시와 술, 낭만과 취기가 얽힌 현장에서 한 곡의 아름다운 노래가 탄생했다. 박인환의 시 「세월이 가면」의 스토리는 전설이 되었다. 1956년 이른 봄의 어느 날이었다고 한다. 명동에서 술을 마시던 박인환이 흥에 겨워 시를 쓰고, 함께 있던 작곡가 이진섭이 즉석에서 곡을 붙이고, 역시 함께 있던 가수 나애심이 노래를 불러 완성했다는 이야기다. 우리에게는 박인희의 청아한 음색으로 기억되는 '세월이 가면'은 그렇게 탄생했다.

지금 그 사람의 이름은 잊었지만
그의 눈동자 입술은
내 가슴에 있어.

바람이 불고
비가 올 때도
나는 저 유리창 밖
가로등 그늘의 밤을 잊지 못하지

사랑은 가고
과거는 남는 것

여름날의 호숫가
가을의 공원
그 벤치 위에
나뭇잎은 떨어지고
나뭇잎은 흙이 되고
나뭇잎에 덮여서
우리들 사랑이 사라진다 해도
지금 그 사람 이름은 잊었지만
그의 눈동자 입술은
내 가슴에 있어
내 서늘한 가슴에 있건만
_박인환, 세월이 가면

이런 일화는 나중에 자꾸 각색되고 덧붙여지는 경향이 있다. 그래서 초기의 기록을 찾아보았다. 『한국 전후문학의 기수 박인환』(김영철, 건국대학교 출판부)은 당시 현장에 있던 참석자의 증언을 소개하고 있다.

> 박 시인이 세상을 뜨기 전 우리들이 잘 모이던 동방살롱에서 인환, 진섭, 나애심, 나, 넷이 만나 그냥 헤어지기 서운하니 아무 데서나 한잔하자고 하여 바로 길 건너 대폿집으로 들어가 카운터에 걸터앉아 얼큰히들 취하자 누군가 먼저 노래를 불렀다. 당대에 이름을 크게 떨치던 애심 양에게 한 곡조 뽑으라고 조르게 되었다. 좀처럼 노래

는 나오지 않았다. 그러자 박형은 취흥을 빌어 즉석에서 가사를 썼고, 진섭 형이 또한 그 자리에서 곡을 만들었다. 가사와 곡을 들여다보며 나양은 저절로 흥이 솟구쳐 그 맑고 구성진 목청으로 노래를 불렀다. 다음엔 셋이서 합창을 하고, 나는 손바닥으로 카운터를 두들기고. 그날 밤 그 자리에서 만들어진 것이 오늘날까지도 널리 애창되는 〈세월이 가면〉인 줄을 아는 사람은 그리 흔치 않다.

_송지영, 「방초 다시 푸르건만」

송지영은 『국제신보』 주간이었다. 박인환의 시 「거리」를 추천하여 등단을 도운 인물이다. 이 증언에 따르면 노래에 얽힌 일화는 과장이나 미화가 아님을 알 수 있다. 다만 아름다운 시와 노래가 탄생한 술집이 은성인지는 확실치 않다. 1차 증언은 '동방살롱 바로 길 건너 대폿집'이다. 동방살롱의 위치는 지금 곰탕으로 유명한 명동 하동관 바로 옆이다. 은성은 명동 유네스코회관 건너편에 있었다. '바로 길 건너' 있다고 하기에는 좀 떨어진 곳이다.

문학관 측은 그 장소를 '은성'이라고 안내한다. 좀 의심스럽다. 여러 자료를 추가로 조사하면서 확인한 장소는 '경상도집'이다. 몇몇 연구서를 비롯해 신뢰할 만한 자료들은 대체로 경상도집이라고 서술한다. 은성의 유명세에 밀려 와전된 것일까. 경상도집은 국밥과 빈대떡 따위를 팔던 선술집으로, 동방살롱 바로 맞은 편에 있었다. 술값도 싸고 외상 인심도 후해서 박인환이 자주 이용했다고 한다. 물론 지금은 사라지고 없다. '명동 샹송' '명동 엘레지'로 불린 노래의 탄생지라는 영예도 희미

해졌다.

박인환은 이 노랫말을 쓰고 열흘쯤 뒤에 숨졌다. 시인 이상(李箱)의 추모 행사를 준비하며 사흘째 폭음을 한 뒤였다. 직접 사인은 심장마비였다. 1956년 3월 20일, 서른한 살이었다.

그런데 정말 어울리는가. 박인환과 그의 고향 말이다. '장 콕토'를 읊조리고 '버지니아 울프'를 사랑했던 '댄디'한 시인이 박인환이다. 강원도 인제는 아름다운 자연 외에는 어디 하나 '모던'한 구석을 찾을 수 없는 산촌이었다. 이 두 조합이 내게는 무척이나 낯설고 의아해 보인다. 인간은 태어나고 자란 지역의 자연과 생활을 정서 속에 간직한다. 이 궁벽한 산촌의 어디에서 저런 모던하고 댄디한 면모가 나올 수 있단 말인가. 풀리지 않는 의문이다.

박인환의 삶의 궤적은 인제에서 서울로 갔다가, 황해도와 평양을 거쳐 다시 서울에서 끝난다. 초등학교 4학년 때 전학을 갔으니 유년기와 소년기를 인제에서 보냈다. 그의 기억 속에는 인제의 숲과 들판, 햇살과 바람이 감돌고 있을 것이다. 해방 이후 그는 서울 명동을 무대로 교류하던 문화예술인들의 중심이었다. '명동백작'이라는 별칭이 따라다녔다. 조니 워커 위스키와 카멜 담배를 즐기던 멋쟁이 시인이었다. 박인환의 삶과 문학에서 강원도 인제와 서울 명동은 어떻게 접점을 형성하고 있을까. 어쩌면 우리는 그 '댄디' 속에 감춰진 처절한 가난의 기억을 놓치고 있을지 모른다. 박인환은 고향 「인제」라는 제목의 시를 한 편 남겼다.

그 곳은
전란으로 폐허가 된 도읍
인간의 이름이 남지 않은 토지
하늘엔 구름도 없고
나는 삭풍 속에서 울었다

_박인환, 인제(부분)

박인환은 전쟁 중에 경향신문 소속 종군기자로 활동했다. 그때 유년기의 추억이 서린 고향 인제에 들렀다가, 폐허처럼 변한 풍경을 목격하고 시로 남겼다. 그에게 고향은 비극과 절망의 현장이었다.

산과 강물은 어느 날의 회화
피 묻은 전신주 위에
태극기 또는 작업모가 걸렸다 _(중략)
인간이 사라진 고독한 신의 토지
거기 나는 동상처럼 서 있었다
내 귓전엔 싸늘한 바람이 설레이고
그림자는 망령과도 같이 무섭다
_박인환, 고향에 가서

박인환 문학관을 벗어나 44번 국도를 2km쯤 달리다 보면 합강정 휴게소가 나온다. 경관과 조망이 수려한 이곳에 박인환 시인의 시비가 있다. 인제군이 "군민의 정성이 담긴 성금"으로 건립했다고 적혀 있다. 시비는 그의 시 〈세월이 가면〉의 원고지 친필을 그대로 음각했다.

강원도 인제를 다녀온 며칠 뒤, 서울에서 박인환의 흔적을 찾아 나섰다. 서울로 온 박인환 가족은 종로구 내수동에 잠시 살다가, 원서동 134번지, 그리고 215번지로 옮겨 살았다. 134번지 일대는 창덕궁 서쪽 담장 옆이다. 지금 1950년대의 흔적이 남아있을 리는 없다. 전통음식점 용수산 비원점과 갤러리 소공헌, 카페 마고, 원불교 은덕문화원 등이 자리 잡고 있다.

서점 마리서사가 있던 자리는 찾기 쉽다. 종로3가 2번지, 탑골공원 동쪽 낙원동 입구이다. 지금은 대한보청기 종로점이 들어서 있다. 역시 마리서사에 관한 어떤 흔적도 남아있지 않다.

박인환은 마리서사에서 아내를 만났다. 한 살 아래인 이정숙은 서점을 드나들던 문학소녀였다. 두 사람은 1948년 봄 덕수궁에서 결혼식을 올렸다. 신혼살림을 차린 곳은 세종로 135번지, 이정숙의 친정집이었다. 박인환은 이곳에서 1956년 3월 사망할 때까지 살았다. 이 집터는 현재 광화문 교보문고 빌딩의 주차장으로 편입되어 있다. 주차장 입구에 '박인환 집 터'임을 알리는 표지석이 세워져 있다.

발걸음을 명동으로 옮겼다. 근처에서 직장을 다닌 덕분에 명동은 익숙한 곳이다. '은성'이 있던 자리는 명동 유네스코회관 건너편 쪽이다. 골목 입구에 '문화예술인이 찾았던 은성주점 터'라는 표지석이 있다. 이 표지석에서 10m 앞에 은성이 있었다고 안내하고 있다. 실제 위치는 표지석에서 북쪽으로 골목을 따라 10m쯤 떨어진 곳으로 추정된다. 지금은 대형 건물이 들어서 있다.

명동에는 옛 명동의 분위기를 간직한 술집도 있다. 명동파출소 옆 골목에 '은성'이라는 간판을 단 음식점이 있었다. 한식집 '진사댁'과 일식집 '제주미항'이 있는 건물의 지하이다. 간판과 실내 장식이 모두 옛 은성을 재현하고 있다. 탤런트 최불암이 어린 시절 추억이 서린 은성을 복원하고 싶어 했다고 한다. 직장이 이 부근이라 낮에 점심을 먹거나, 저녁에 막걸리를 몇 번 마셨던 기억이 있다. 최근에 다시 가보니 상호를 '명동백작'으로 고쳐 달았다.

마지막으로 찾아가 볼 곳은 박인환의 무덤이다. 그의 묘는 망우리에 있다고 했다. 꽃잎이 난분분하던 어느 봄날, 아차산과 용마산을 거쳐 망우산으로 향했다. 망우리 묘지의 공식 명칭은 '망우역사문화공원'이다. 박인환의 묘는 공원 안내도에 잘 표시되어 있어 찾기 쉬웠다.

묘는 쓸데없이 화려하거나 요란하지 않아 다행이었다. 그의 문우들이 세운 묘비석도 소박했다. "지금 그 사람 이름은 잊었지만 / 그 눈동자 입술은 / 내 가슴에 있네" 그렇게 시인은 절창과 함께 우리 가슴에 남았다. 다음에 찾아갈 때는 꽃 한 송이 들고 가야겠다.

기억하라, 저 핏빛을

합강정과 리빙스턴교

걷기에는 묘한 매력이 있다. 다이어트나 건강 차원의 효과는 기본이다. 걷기의 매력은 그런 정도를 훨씬 넘어선다. 육체는 물론 정신의 영역까지 어루만지는 강렬한 힘이 있다. 걷기는 우리의 몸과 마음에 다양한 치유의 효과를 가져온다.

'걸음아, 날 살려라.'라는 말은 의미심장하다. 걸음은 시들어가는 생명을 건강하게 살려내는 힘이 있다. 삶이 허무하고 우울할 때, 가슴에 분노와 울분이 가득할 때, 잡다한 번민으로 마음이 어수선할 때 걷기만큼 좋은 치료제가 없다. 걷다 보면 기분이 풀리고 좋아진다.

걷기에 맛 들이면 어디서나 걸을 수 있다. 굳이 먼 곳을 찾아갈 필요가 없다. 집을 나서면서부터 걸으면 된다. 도시의 골목이든 시골 장터든 호젓한 숲길이든 가릴 필요가 없다. 그저 터벅터벅 걷고 마음 내키는 대로 쏘다니면 된다. 햇빛과 바람이 보듬어 줄 것이다. 거리와 풍경이 심심찮게 해줄 것이다.

금연입니다

새소리 물소리만 마음을 정화하는 게 아니다. 길옆에 핀 시든 꽃들이 오히려 위로와 치유를 건넨다. 가을걷이가 끝난 들판의 쓸쓸함이 오히려 살아갈 용기와 희망을 선사한다. 때로는 바람에 날리는 지푸라기와 흙먼지와 온갖 소음마저도 세상은 그럭저럭 살만하다고 역설한다.

걷기에는 우울을 떨쳐내고 희열을 선사하는 은근한 힘이 있다. 몸이 고단할수록 마음은 단순해지고 명쾌해진다. 지치고 힘겨울 때는 복잡한 것을 생각할 겨를이 없다. 작가 이상은 "육신이 흐느적흐느적 하도록 피로했을 때만 정신이 은화처럼 맑소"(날개)라고 했다. 고단한 육체가 주는 마음의 평온을 얻고 싶다면 걷기가 제격이다. 흔히 달리는 사람이 느끼는 몽롱한 행복감을 '러너스 하이'(runner's high)라고 한다. 적당한 속도로 자주 걷는 사람은 그보다 은은한 활력과 훨씬 오래 가는 생동감을 느낀다.

어느 날 반나절 정도의 시간이 비었는데 어디론가 떠나고 싶었다. 이미 오후에 들어선 시간에 어디로 갈 수 있을까. 뚜렷한 목표 없이 인제행 버스를 탔다. 동서울터미널에서 1시간 반이면 도착한다. 요즘 말로 '안구 정화' 여행이다.

인제군은 서울의 2.5배가 넘는 면적에 인구는 3만 5천 명을 밑돈다. 전국 기초자치단체 가운데 인구밀도가 가장 낮다. 그만큼 산지가 많고 들이 좁다는 뜻이다. 인제읍은 소양강의 최상류에 강변을 따라 길쭉하게 자리 잡고 있다. 소양강은 인제에서 시작해 양구와 춘천을 지나며 북한강으로 합류한다. 인제 북쪽에서 오는 인북천과 남쪽에서 흐르는 내린천이 만나 소양강을 이룬다. 그 합류 지점의 지명이 합강리이다.

강원의 명산대천인 금강, 설악, 오대산의 지맥과 물길이 모두 모이는 곳이다. 그 지세의 정점에 합강정이라는 정자가 있다.

인제 터미널에서 합강정까지는 2km쯤이다. 강변을 따라 조성한 보행로가 거의 직선으로 시원하게 뻗어있다. 우레탄 재질로 포장하고 가로수도 심어 걷기에 편하다. 강을 보며 느릿느릿 걷는다. 산길이나 숲길을 걸을 때와는 전혀 다른 여유와 평화가 찾아온다. 단풍나무와 벚나무가 도열 하듯 서 있다. 단풍나무는 아직 좀 어리지만, 곧 무성한 그늘을 드리울 것이다. 벚나무는 1년에 두 번 꽃을 피운다. 봄에는 화려한 꽃으로, 가을에는 발갛게 물든 단풍으로 운치를 선사한다.

합강정은 인제 8경의 하나로 꼽는다. 합강정 누각에 올라 강물을 바라보며 한참 멍때리기에 빠졌다. 지세와 경관도 빼어나지만, 민족의 젖줄인 한강, 그 한강의 원류인 소양강의 시작점이라는 상징적인 의미가 크다. 조선 숙종 2년인 1676년에 처음 지었다는 설명이 보인다. 여러 문인의 시문이 남아 있다. 한국전쟁 때 폭격으로 소실된 것을 복원하면서 목조 2층 누각으로 세웠다. 바로 옆에는 인제 출신 시인 박인환의 시비도 있다. 합강정 바로 옆에 번지점프장을 허가한 것은 아무리 봐도 마땅치 않다. 철골구조가 마치 공사장의 크레인처럼 경관을 해친다.

합강교를 건너 인북천을 따라 오른다. 인북천은 북한 땅에서 흘러오는 물줄기이다. 그 발원지는 강원도 인제군 서화면 이포리이지만, 지금은 북한령에 속한다. 인북천의 다른 물줄기는 설악산 쪽에서 내려온다. 백담계곡과 십이선녀탕의 물이 흘러 북천을 이룬다. 북천은 우리나라에만 서식하는 토종 깔딱메기가 사는 1급 청정수이다. 인북천과 북천은 원통에서 만나 인제로 흐른 뒤, 내린천과 만나면서 소양강이라는 이름으로 바뀐다.

합강교에서 1.5km 정도 걸으면 리빙스턴교에 닿는다. 다리 색깔이 붉어 '레드 브릿지(Red Bridge)'로도 불린다. 그 내력을 설명한 문구를 읽다 보면 숙연한 마음이 든다.

> 1951년 6월 10일, 한국전쟁 당시 미 제10사단 소속의 리빙스턴 소위가 지휘하던 미군 포병부대가 합강정 부근에서 매복해 있던 북한군의 기습을 받아 후퇴하던 중 인북천 앞에 섰다. 그러나 강을 건너기에는 다리도 없는 데다 폭우가 내려 물살이 무척 강해 부대원 대부분이 물살에 휩쓸리거나 총에 맞아 희생되었고, 리빙스턴 소위도 중상을 입어 후송되었으나 결국 순직했다. 이에 리빙스턴 소위는 강을 건널 작은 다리만 있었어도 부하들이 죽지 않았을 것이라고 슬퍼하며, 고국의 부인에게 '이곳에 다리를 만들어 달라'고 유언을 남겼다. 전쟁 후 리빙스턴 소위 부인이 사비를 털어 길이 150m, 폭 3.6m의 목재 교량을 건설하였는데, 당시 목재 난간에 붉은 페인트를 칠해 '빨간 다리'라고 불리기도 했다.

전쟁의 아픔과 통한이 서려 있는 리빙스턴교는 1957년에 세워졌고, 2015년에 여러 조형물을 갖춘 모습으로 재탄생했다. 판초 우의를 입은 실물 크기의 미군 병사의 모습이 처연해 보인다. 이국땅에 바친 미군 장교의 희생과 헌신은 다리와 함께 오래 기억될 것이다.

인제 터미널에서 합강정을 거쳐 리빙스턴교까지는 4km가 채 안 된다. 햇살과 단풍이 좋은 가을날의 반나절 나들이 코스로 아주 좋다. 왕복 7km 남짓이니 두세 시간 걷기에 알맞은 명품 산책길이다. 굳이 이름을 붙인다면 리빙스턴길이 어떨까 싶다. 리빙스턴교 바로 옆 카페에서 다리를 바라보며 차 한 잔 마신 뒤 돌아왔다. 인근 군부대 담장의 단풍이 유난히 아름다웠다. 곱고 은은한 단풍이 아니다. 마치 선혈이 배인 듯 맘껏 짙었다. 기억하라. 저 핏빛을. 단풍보다 붉은 희생과 헌신을.

숲이 들려주는 속삭임

원대리 자작나무숲

자작나무의 '자작'은 귀족의 작위인 자작(子爵)과는 아무 상관이 없다. 그래도 자작나무는 왠지 귀족의 풍모를 닮았다. 고고하고 강인해 보인다. 눈과 추위를 견디며 쭉쭉 뻗어 오르는 기상이 장쾌하다. 나무에도 귀족이 있다면, 자작나무는 적어도 자작 정도의 품계는 쉽게 받을 것이다. 고등학교 국어 시간에 배운 수필 「산정무한」에도 자작나무가 나온다. 작가 정비석은 자작나무를 공주에 비유한다. 귀족을 넘어 왕족인 셈이다.

> 비로봉 동쪽은 아낙네의 살결보다도 흰 자작나무의 수해(樹海)였다. 설 자리를 삼가, 구중심처(九重深處)가 아니면 살지 않는 자작나무는 무슨 수중공주(樹中公主)이던가.

자작나무는 북방의 나무라는 이미지가 강하다. 영화 「닥터 지바고」

에 나오는 광활한 설원과 자작나무숲은 기억에 남는 장면이다. 자작나무숲에 서면 영화의 몇 장면과 함께 주제곡 '라라의 테마'가 들리는 듯하다. 영화에도 등장하는 러시아의 민속 악기 발랄라이카의 애절한 연주가 심금을 울린다. 영화에는 가사 없는 연주곡으로 흐르지만, 영어 가사를 붙인 대중음악 'Somewhere, My Love'도 사랑받는다. 우리에겐 트윈폴리오의 번안곡으로 귀에 익숙하다.

우리나라에서는 주로 북한 지역에 분포한다. 강원도에서도 잘 자라지만 보기 좋은 자작나무숲은 대부분 자생이 아니다. 산림 당국이 애써 가꾼 수림이다. 인제군 원대리의 자작나무숲은 40만 평 정도의 숲에 20~30년생 자작나무 수십만 그루가 밀집해 장관을 이룬다. 특히 안쪽 깊숙한 곳에서는 오직 자작나무만 자라는 순백의 수림을 볼 수 있다. '아낙네의 살결보다도 흰 자작나무의 수해(樹海)'이다.

산림청은 2023년 3월 '걷기 좋은 명품 숲길 30선'을 선정해 발표했다. 강원도의 숲길이 10개나 포함됐다. 그중 인제군 원대리 자작나무숲이 당당히 '최우수'로 꼽혔다. 이 숲에는 여러 갈래의 숲길이 있는데, '달맞이 숲길'이 최우수의 주인공이다. 지난해 탐방객 분산을 위해 추가로 조성한 5km 구간이다. 다시 가 볼 이유가 생겼다.

자작나무를 한문으로 쓰면 화(樺) 또는 백화(白樺)가 된다. 시인 백석의 시 중에 「백화(白樺)」가 있다. 다섯 행의 짧은 시인데 "온통 자작나무다." 그의 고향 언저리에 정말 자작나무가 많았나 보다.

> 산골집은 들보도 기둥도 문살도 자작나무다
> 밤이면 캥캥 여우가 우는 산도 자작나무다

그 맛있는 모밀국수를 삶는 장작도 자작나무다
그리고 감로(甘露) 같이 단샘이 솟는 박우물도 자작나무다
산 너머는 평안도 땅도 뵈인다는 이 산골은 온통 자작나무다
_백석, 백화(白樺)

우리 세대는 백석 시인을 잘 모른다. 국어 시간에 그의 시를 배우지 못했다. 서점에도 시집이 없었다. 그는 분단 이후 남쪽에서 금지된 시인이었다. 1987년 이후 이른바 '해금' 조치가 이뤄지면서 납북 또는 월북 문인의 작품이 출판됐다. 정지용 등 이름만 알고 있던 시인의 작품을 그제야 읽을 수 있었다. 요즘은 수능시험에도 백석의 시가 자주 나온다.

배낭을 메고 나설 땐 꼭 책을 한 권 챙긴다. 대중교통을 기다리며 시간을 보내야 하는 경우가 자주 생긴다. 자작나무숲을 찾아가면서 백석의 시집과 평론을 골랐다. 오가는 버스 안에서 뒤적이다가 숲 그늘에서 다시 펼쳤다. 백석은 좀 억울하다. 그는 납북도 아니고 월북도 아니다. 그의 고향이 평북 정주였다. 그냥 고향에 있었을 뿐인데, 분단이 굳어지면서 북한 시인이 되었다. 그의 시에는 정치나 이념의 색깔이 전혀 없다.

백석은 해금 이후 뒤늦게 러브스토리로 다시 주목받았다. 고급 요정 대원각을 경영했던 김영한(자야)과의 사랑과 동거가 드러났기 때문이다. 김영한이 대원각을 법정 스님에게 시주하며 했다는 말 "천억 재산이 백석의 시 한 줄만 못하다."라는 말도 자주 인용된다. 이때 '나타샤'도 함께 등장한다.

가난한 내가
아름다운 나타샤를 사랑해서
오늘밤은 푹푹 눈이 나린다

나타샤를 사랑은 하고
눈은 푹푹 날리고
나는 혼자 쓸쓸히 앉어 소주를 마신다
소주를 마시며 생각한다
나타샤와 나는
눈이 푹푹 쌓이는 밤 흰 당나귀 타고
산골로 가자 출출이 우는 깊은 산골로 가 마가리에 살자

_백석, 나와 나타샤와 흰 당나귀(부분)

아름답고, 쓸쓸하고, 순수하고, 환상적이다. 이국적인 이름 나타샤는 누구일까. 현실 속 백석의 연인인가. 김영한은 팔순이 넘은 1995년에 『내 사랑 백석』(문학동네)이라는 책을 발표하며 세상을 놀라게 한다. '시인 백석과 기생 자야의 영원한 사랑'이라는 카피를 달고 출간된 책에서 백석과의 만남과 사랑, 알려지지 않은 이야기를 풀어 놓는다. 백석 작품의 해석과 연구에도 새로운 자료가 등장한 것이다.

백석과 자야의 첫 만남은 1936년, 백석의 시 「나와 나타샤와 흰 당나귀」는 1938년에 발표됐다. 그렇다면 이 시에 등장하는 나타샤는 자야인가. 김영한은 '그렇다'라고 말한다. 이 문제를 진지하게 파고들 생

각은 없다. 다만 연구자들의 견해는 조심스럽다는 정도만 언급하고 싶다. 당대에 백석을 연모한 여성이 많았다. 백석에게는 이루지 못한 첫사랑도 있었다. 나타샤는 현실 속의 인물이 아닐 수도 있다. 문학은 정형화된 해석을 거부해야 마땅하다.

자작나무숲에는 사랑이 흐른다. 유리(지바고)와 라라의 사랑은 시리도록 아프지만, 그래서 더 아름답다. 따지고 보면 불륜이지만, 전쟁과 혁명의 소용돌이 속에서 운명처럼 엮인 그 사랑을 누가 거부할 수 있으랴. 백석과 나타샤의 사랑은 오지 않는 사람을 기다리며 꿈을 꾸는 독백이다. 나에게 사랑은 무엇인가. 5월의 자작나무숲을 나는 홀로 걷고 있다.

인제 자작나무숲의 공식 명칭은 '속삭이는 자작나무숲'이다. 자작나무의 속삭임을 듣고 가라는 뜻일까. 이양하 선생은 '나무는 고독을 알고, 고독을 즐긴다'라고 했는데, 자작나무는 바람이 불 때마다 나지막한 속삭임을 풀어놓는다. 숲이 들려주는 저 은밀한 이야기를 들을 수 있을까. 내겐 그저 잎사귀의 서걱거림으로 들린다. 마음을 온전히 비우지 않으면 자연의 소리가 들어올 틈이 없다.

> "내 속엔 내가 너무도 많아 당신의 쉴 곳 없네."
> **_가시나무, 하덕규 작사 · 작곡, 시인과 촌장 노래**

숲을 걸을 때는 침묵이 소중하다. 그저 텅 빈 마음으로 걸어야 한다. 누군가 이 숲을 걸으며, 문득 잊었던 얼굴이 생각나고, 용서와 화해와 사랑의 마음을 얻는다면, 그는 자작나무의 속삭임을 들은 것일까. 나

는 아무래도 몇 번 더 와야겠다.

숲은 잠들지 않는다. 자작나무숲은 사계절 모두 아름답다. 가을엔 은은하게 빛나는 단풍으로 황홀하다. 봄여름엔 초록과 백색의 대비가 볼만하다. 겨울엔 또 고독한 수도승처럼 서 있는 설목(雪木)의 모습으로 감동을 주리라. 눈보라와 찬바람 속에 헐벗은 마음으로 살아가는 저 겸손과 비움에 경배하라.

한 줄기 바람처럼 살다 가고파

한계령

백두대간은 북녘 백두에서 흘러내려 남녘 지리산까지 이 땅의 등줄기를 이룬다. 험준한 산맥을 경계로 영동과 영서가 나뉘고, 그 양쪽을 오가는 사람과 물자의 소통이 고갯길을 만들었다. 백두대간에 우뚝 솟은 설악산과 오대산, 태백산을 품고 있는 강원도에는 고개가 많을 수밖에 없다.

흔히 대간을 넘나드는 강원도 열두 고개를 꼽는다. 북쪽부터 진부령을 시작으로 미시령, 한계령, 필례령, 조침령, 구룡령, 진고개, 대관령, 피덕령, 닭목령, 삽당령, 백봉령이 이어진다. 큰 고개만 이렇고, 실제로는 더 많다. 진부령과 미시령 사이에 새이령이 있다. 진고개 북쪽에 두로령이 있고, 대관령 북쪽으로 선자령이 있다. 곰배령이나 운두령도 대간 주변이다. 강원 남부권에는 비행기재, 새비재, 꽃꺾이재, 두문동재, 만항재, 화방재 등이 흩어져 있다.

산맥의 이쪽저쪽을 잇는 터널이 뚫리면서 이제 이런 고개 대부분이

쇠락의 길로 접어들었다. 차량 통행이 줄어들면서 고갯마루의 휴게소들은 문을 닫았다. 설악산 울산바위 조망이 일품이던 미시령 휴게소는 국립공원 탐방지원센터로 바뀌었다. 진고개 정상의 휴게소도 상점들이 문을 닫아 썰렁한 모습이다. 차 한 잔 마시며 쉬어갈 공간이 사라져 좀 아쉽다.

고개의 용도가 완전히 소멸한 것은 아니다. 일부러 한적한 길을 찾는 드라이브 여행객들은 재미없는 터널보다 구불구불한 옛길을 더 좋아한다. 걷기나 자전거 여행을 즐기는 사람들에게도 고갯마루는 휴식과 여유를 선사하는 고마운 장소이다. 차량 통행이 드물어 도로를 따라 걸어도 그리 위험하진 않다. 언젠가 이런 고갯길을 모두 걸어서 밟아보겠다는 계획을 세웠지만, 아직 못 가본 고개가 많다.

고갯마루에는 늘 바람이 있다. 산맥을 넘어오는 바람이 가슴까지 시원하게 한다. 발아래 구름이 흐르고, 때로 안개가 소용돌이친다. 맑은 날엔 멀리 바다까지 시야가 트인다.

한계령휴게소는 아직도 그 기능을 유지하고 있어 고맙다. 건축가 김수근이 설계했다는 휴게소 건물은 설악의 능선을 그대로 이어받으며 풍경 속으로 녹아든다. 자연을 훼손하지도 억누르지도 않는 겸손의 미학이 돋보이는 '작품'이다. 1981년에 지었고, 이듬해 한국건축가협회 대상을 받았다.

인제와 양양을 잇는 44번 국도가 지나가는 길이다. 휴게소 건물에는 따뜻한 커피나 전통차를 파는 매점과 식당이 있다. 안쪽 옥외 테이블이 명당이다. 남설악의 기암괴석 칠형제봉이 한눈에 들어온다. 그 뒤로는 동해 쪽으로 흘러내리는 산줄기가 겹겹의 능선을 만들고 있다.

오후의 햇빛을 받아 붉게 빛나는 암릉의 모습은 경이롭고 장엄하다.

개인적으로는 비바람 몰아치고 안개가 휘감는 궂은날의 풍경을 최고로 친다. 산맥을 넘어가는 거센 바람이 울부짖듯 용트림하며 산천을 흔든다. 구름인 듯 안개인 듯 비를 품은 연무가 거칠게 휘돌고 흐르고 흩어진다. 얼굴을 때리는 빗방울을 아프게 맞으면서도 한동안 넋을 잃고 바라보았다. 사진이나 영상으로 담아두지 못했으니 아쉽다. 오히려 마음속의 한 장면으로 남아 점점 더 아름답게 채색되는 게 아닐까 싶다.

바람 부는 날이면 압구정동으로 가는가. 나는 가슴이 답답할 때 가끔 한계령으로 간다. 한계령휴게소가 좋은 점은 서울에서 한 번에 갈 수 있다는 점이다. 동서울 터미널에서 양양행 시외버스를 타면 이 휴게소에서 내릴 수 있다. 물론 인제나 원통에서 오가는 마을버스도 이곳까지 운행한다. 대중교통만으로 이런 절경과 운치를 누릴 수 있으니 얼마나 좋은가.

한계령은 인제군과 양양군의 경계에 있다. 오르막은 인제군 북면 한계리, 내리막은 양양군 서면 오색리에 속한다. 내리막 입구에 '백두대간 오색령'이라고 쓴 커다란 바윗돌이 보인다. 이 고개를 '오색령'으로 부르고 싶은 양양군의 염원을 담고 있다. 인제군에서도 '한계령'이라는 바윗돌을 세우자는 주장이 나왔지만 실행되지는 못했다. 옛 문헌에는 한계령도 있고 오색령도 나온다. 오색령은 한계령의 남쪽인 듯하지만 정확한 위치는 모호하다. 두 자치단체의 은근한 신경전이 이어지고 있다. 자연은 말이 없는데, 인간들은 서로 금을 긋고 다툰다.

자연은 문화와 손잡고 예술과 어우러질 때 더욱 강렬하게 다가온다. 한계령의 격을 높인 유형의 문화가 김수근의 건축이라면, 무형의 정서와 감성을 불어넣은 공로는 양희은의 노래이다. 그 시적인 가사의 서정성과 쓸쓸하고 우울한 느낌의 멜로디를 모르는 사람은 없을 것이다. 어쩜 이토록 비감하면서도 삶에 대한 희망의 끈을 놓지 않도록 위로를 줄 수 있단 말인가. 젊은 날 이 노래를 읊조리며 무너지려는 감정을 추스르고 버티고 살아낸 사람은 얼마나 많을 것인가.

아! 그러나 한 줄기 바람처럼 살다 가고파
이 산 저 산 눈물 구름 몰고 다니는 떠도는 바람처럼
저 산은 내게 내려가라 내려가라 하네
지친 내 어깨를 떠미네
_한계령, 정덕수 · 하덕규 작사, 양희은 노래

이 노래는 1984년 '시인과 촌장'이 처음 불렀고, 양희은이 1985년에 다시 불렀다. 처음에는 '시인과 촌장'의 싱어송라이터인 하덕규 작사 작곡으로 발표됐다.

지금은 많이 알려진 뒷이야기가 있다. 어느 날 한 사내가 설악의 대피소에서 비를 피하고 있었다. 누군가 비 내리는 설악을 바라보며 나직이 노래를 불렀다. 양희은의 한계령. 그 사내가 듣다 보니 노랫말이 귀에 익었다. "아니, 저 노랫말은 내가 쓴 시인데 …" 자신이 쓴 시가 노래로 불리는 것을 보고 그는 깜짝 놀랐다.

사내의 이름은 정덕수. 남설악 오색에서 태어나 초등학교 학력이 전부였다. 어머니는 가정폭력에 시달리다 그가 여섯 살 때 집을 나갔다. 그는 자주 한계령에 올라 어머니를 그리워하며 울었다. 서울로 상경해 봉제공장과 철공소 등에서 일하며 고달픈 삶을 이어갔다. 그에게 유일한 꿈이 있었으니 시인. 습작한 시를 들고 시인들이 자주 온다는 술집과 다방을 찾아다니며 DJ에게 낭송을 부탁하곤 했다.

'한계령'의 노랫말이 된 시는 그가 열여덟 살 때 고향을 찾았다가 지은 시였다. 그때가 1981년 10월, 한계령에서 고향 오색을 바라보며 썼다고 한다. 우연히 이 시를 접한 하덕규가 부분 발췌해 곡을 붙이고 노래로 만들었다. 정덕수가 그 노래를 듣게 될 때까지 세상은 정덕수를 알지 못했다. 뒤늦게 저작권 확보에 나선 그는 오랜 다툼 끝에 2007년에야 공동 작사가로 인정받았다고 한다.

정덕수는 나중에 『한계령에서』라는 제목의 시집을 한 권 냈다. 지금은 절판이라 구할 수 없다. 그의 블로그(한사의 문화마을)에 시 원문이 있다. 이 시에는 그가 겪은 고단한 삶과 고향 산천에서 받는 위로가 절절히 묻어난다. 슬프고 아프고 아름답다. 도저히 열여덟에 썼다고 믿기 어려운 달관의 경지를 보여준다.

> 온종일 서북주릉(西北紬綾)을 헤매며 걸어왔다.
> 안개구름에 길을 잃고
> 안개구름에 흠씬 젖어
> 오늘, 하루가 아니라
> 내 일생 고스란히
> 천지창조 전의 혼돈
> 혼돈 중에 헤매일지.
> 삼만육천오백날을 딛고
> 완숙한 늙음을 맞이하였을 때
> 절망과 체념 사이에 희망이 존재한다면
> 담배 연기빛 푸른 별은 돋을까
>
> 저 산은,
> 추억이 아파 우는 내게

울지 마라 울지 마라 하고
발 아래 상처 아린 옛이야기로
눈물 젖은 계곡
아, 그러나 한 줄기 바람처럼 살다 가고파
이 산 저 산 눈물
구름 몰고 다니는
떠도는 바람처럼

저 산은,
구름인 양 떠도는 내게
잊으라 잊어버리라 하고
홀로 늙으시는 아버지
지친 한숨 빗물 되어
빈 가슴을 쓸어 내리네
아, 그러나 한 줄기
바람처럼 살다 가고파
이 산 저 산 눈물
구름 몰고 다니는
떠도는 바람처럼

온종일 헤매던 중에
가시덤불에 찢겼나 보다
팔목과 다리에서는 피가 흘러

빗물 젖은 옷자락에

피나무 잎새 번진 불길처럼

깊이를 알 수 없는 애증(愛憎)의 꽃으로 핀다

찬 빗속

꽁초처럼 비틀어진 풀포기 사이 하얀 구절초

열 한 살 작은 아이가

무서움에 도망치듯 총총이 걸어가던

굽이 많은 길

아스라한 추억 부수며

관광버스가 지나친다.

저 산은

젖은 담배 태우는 내게

내려가라

이제는 내려가라 하고

서북주릉 휘몰아온 바람

함성 되어 지친 내 어깨를 떠미네

아, 그러나 한 줄기

바람처럼 살다 가고파

이 산, 저 산 눈물

구름 몰고 다니는

떠도는 바람처럼

_정덕수, 한계령에서 1

2023년 10월에 휴게소 안쪽에 한계령 노래비가 세워졌다. 양희은이 부른 '한계령'의 노랫말과 악보를 그대로 담았다. 작사자를 정덕수 · 하덕규로 표기하면서 세 사람의 사진을 사이좋게 실었다. 따지고 보면 노래 덕분에 정덕수의 시와 존재가 알려졌으니 모두 선한 인연이다.

이 노래비의 건립 계획부터 실행까지 10년이 넘게 걸렸다. 인제군과 양양군의 다툼 속에 모양과 크기도 축소됐다. 흔한 바윗돌 노래비가 아닌 미술용 화판 같은 형태로 만들었다. 위치도 휴게소 건물 가장 안쪽이라 여러모로 홀대한다는 인상을 남긴다. 설치를 기념하는 행사는 도둑처럼 조용하게 치렀다. 한계령은 말이 없다.

한계령까지 와서 휴게소에만 머물다 가기엔 좀 아쉽다. 휴게소 뒤편으로 108계단을 오르면 설악루라는 정자가 나온다. 한계령 도로를

건설한 육군 12사단 공병대의 희생자를 위로하는 위령비도 서 있다. 1971년 김재규 사단장이 건립했다고 한다. 등산로를 따라 조금 더 오르면 억만년 세월이 빚어놓은 설악의 절경과 장쾌한 전망을 즐길 수 있다. 서북주릉과 만나는 삼거리까지 간다면 2.3km 정도, 힘든 만큼 보상이 따른다.

한계령은 설악산 대청봉을 비교적 쉽게 갈 수 있는 등산로의 출발점이다. 단, 오전에만 입산이 허용된다. 한계령에서 서북능선에 올라서면 끝청과 중청을 거쳐 대청에 이른다. 전체 거리 8.3km로, 5시간 반쯤 걸렸다. 오색에서 오르는 코스(5km)보다 거리는 좀 길지만, 난이도 면에서 훨씬 수월하다. 한계령의 고도가 이미 1,004m이니 대청봉(1,708m)과의 표고차는 700m 정도이다. 오색에서는 고도차 1,200m 이상을 가파르게 올라야 한다. 무엇보다 탁 트인 조망과 운해를 만날 수 있는 능선 산행이 한계령 코스의 매력이다. 한계령으로 올라 오색으로 내려온다면 가장 짧은 설악 탐방이 된다.

십이선녀탕계곡

오랫동안 이 계곡에 오지 않았다. 마지막 기억은 참혹했다. 2006년 여름 인제군 내설악 일대에 엄청난 폭우가 쏟아졌다. 설악의 여러 계곡이 처참하게 찢겼다. 십이선녀탕계곡은 2년 동안이나 폐쇄됐다. 2008년 탐방로가 다시 열리고, 이듬해인가에 이곳을 찾았다. 가슴이 미어지는 듯했다. 그 아름답던 계곡은 낯설었다. 매끈하던 암반은 거칠게 유린당했다. 곳곳에 바윗돌이 널브러져 있었다. 푸르고 깊었던 탕(盪)들은 돌 더미에 묻혀버렸다. 선녀탕이 아닌 자갈탕이었다. 더구나 새롭게 설치한 철제 다리와 데크(deck) 보행로는 꼴불견이었다. 계곡과 멀찌감치 떨어져 있어 영 못마땅했다. 그 참담한 풍경이 너무 가슴 아파 한동안 다시 올 엄두를 못 냈다.

그러나 이것은 옛 모습을 기억하는 소수의 과장된 감상일 뿐이다. 이 계곡을 처음 보는 사람은 여전히 명불허전의 명승으로 감탄한다. 계곡은 폭우도 수해도 견뎌내며, 있는 그대로의 모습으로 여전히 아름

답다. 십이선녀탕은 지금도 설악 최고의 절경으로 손색이 없다.

선녀탕을 메꿔버린 돌 더미는 인력으로는 어쩔 수 없다. 또 다른 물의 힘이 파내거나 삭여내도록 맡겨둘 수밖에 없다. 세월의 풍상이 저 거친 바위를 다듬는 데 또 몇 만 년의 시간이 필요하리라. 처참하게 찢은 것이 자연이라면, 그 치유도 자연이 감당할 것이다.

이 계곡이 다시 궁금해진 것은 노산 이은상의 기행문 「설악행각」을 읽으면서 새삼 충동이 일었기 때문이다. 노산은 흔히 시조 시인으로 소개되지만, 그의 문학과 활동은 훨씬 폭이 넓다. 산악문화 형성과 발전에 기여한 공로는 비교적 덜 알려졌다. 그는 '해오라기 노니는 산'이라는 뜻의 '노산(鷺山)'을 호(號)로 쓸 만큼 산을 사랑했다. 한국산악회 회장을 세 차례나 역임하며 해외 원정 등반 시대를 적극 추진했다. 무엇보다 「설악행각」, 「묘향산유기」, 「기행 지리산」, 「한라산 등척기」, 「해외 산악계 순방기」 같은 빛나는 글을 통해 등산 활동을 산악문학으로 승화시켰다.

「설악행각」은 1933년 10월에 열흘 동안 내설악과 외설악의 비경을 답사하고 남긴 기록이다. 동아일보에 37회에 걸쳐 연재했다. 사진사 등 15명이 동행했다. 안전을 위한 포수, 길 안내를 맡은 심마니도 있었다. 이 기행의 첫 방문지가 십이선녀탕계곡이었다. 이날 하루의 경로를 보면 인제군 북면 남교리에서 시작해 십이선녀탕계곡을 탐방한 뒤 안산을 넘어 한계리 늪재로 추정되는 민가에서 묵었다. 당시엔 등산이라는 개념이 낯설던 시대였다. 제대로 된 등산로가 있었을 리 없다. 산짐승이나 심마니들이 다니던 길을 힘들여 밟아갔다. 노산 이전에 십이선녀탕계곡을 방문하고 시문을 남긴 기록은 별로 눈에 띄지 않는다.

조선 선비들의 설악 기행은 주로 백담사나 외설악 쪽에 치우쳤다. 십이선녀탕계곡 개척 기행의 공은 노산에게 돌릴 만하다.

이제 노산의 발걸음을 그대로 따라가 보려 한다. 기행문 곳곳에 등장하는 묘사와 감탄을 바로 그 현장에서 읽고 대조해보고 싶었다. 노산 일행이 쉬었던 장소에서 같은 모습을 바라보며 그 감상을 공유해 보고 싶다. 어쩔 수 없다. 십이선녀탕계곡에서는 노산 이은상을 피해 갈 수 없다. 이 계곡을 노산보다 제대로 감상한 사람은 없다. 그 기행의 감흥을 그보다 더 유려한 문장으로 소화해 낸 사람도 없다. 노산의 「설악행각」은 단연 기행문학의 백미라 할만하다.

산제당

1933년 10월 2일, 가을 단풍이 한창이었으리라. 노산은 계곡 입구에서 가장 먼저 돌무더기 산제당(山祭堂)을 만난다. '설악주신(雪岳主神)을 모신 곳으로서, 지금껏 행하고 있는 민간 신앙의 유물'이라 소개한다. 그 앞에서 잠시 스스로 허물을 돌아본다.

산제당이 지금도 남아있을까. 노산은 그 위치를 "산곡(山谷)이 시작되는 초입구(初入口)"라고 했다. 지금 그 자리엔 음식점과 야영장이 들어서 있다. 야영장 뒤쪽을 둘러보다가 뭔가 발견했다. 소나무 아래 돌무더기, 그리고 정화수 한 그릇. 산제당의 흔적으로 보기에 무리가 없었다. 90년 전에 노산이 보았던 바로 그 산제당은 아닐 수도 있다. 그동안 큰물이 여러 번 쓸고 갔다. 제방을 쌓고, 다리를 놓고, 길을 내고, 집을 지었다. 그래도 '설악주신'을 향한 주민들의 신앙은 이어져 오고 있다. 야영장 앞 공터에도 잘 생긴 바윗돌이 하나 보인다. 주민 전○○

씨의 말. "제가 어릴 때부터 있었으니까 30년도 더 됐죠. 매일 새벽 정화수를 바치고 있습니다."

산제당을 지나면 '지리실'이 펼쳐진다. 노산의 「설악행각」에는 '십이선녀탕'이라는 단어가 한 번도 등장하지 않는다. 그때까지는 쓰이지 않았던 말로 보인다. 대신 '지리곡', '지리실' '탕수골', '탕수동' 등의 지명을 거론한다. 입구에서 약 5리 구간을 지리실, 한자로는 지리곡(支離谷)이라 했다.

구융소

지리곡에서는 잇따라 네 개의 '구융소'를 만난다. '구융'은 소나 말의 여물통을 뜻하는 구유의 방언이다. 보통 물이 괸 모습이 구유처럼 길쭉한 곳에 이런 이름을 붙인다. 홍천 수타사 부근에도 '굉소'가 있다. 네 개의 구융소를 정확히 찾아내기는 어렵다. 길이 달라지면서 보는 위치가 바뀌면 다르게 보일 터이다. 물의 양에 따라 모양이 달라질 수도 있다. 자갈 더미가 메꿔버리지는 않았을까.

> 앞서가는 심메마니가 한곳을 가리키며, "저것은 첫 구융소, 그다음 것은 둘째 구융소"라 하는 말에 바라보니, 말구융(馬槽) 같이 바위 홈이 패인 것이 둘이 잇따라 2층의 소폭(小瀑)을 지었습니다. 푸르다 못하여 검은 물빛은 "이 쇠 같은 반석을 홈 파내기에, 나는 천만년 사력을 다하였노라"는 그 무서운 결심 노력의 자랑 같았습니다.

첫째와 둘째 구융소는 거의 붙어 있는 '2층의 작은 폭포'여야 한다. '홈이 패인 바위'와 '쇠 같은 반석'에도 힌트가 들어 있다. 가장 유사해 뵈는 곳을 찾기는 했지만, 미심쩍음이 상당히 남는다. 둘째 구융소를 지나면서 길은 점차 흐릿해진다. "차츰 길은 우거진 초림과 흩어진 암석에 그 실마리를 흐려버리고 다만 다람쥐 밖에는 첫 번 들어와 찾아갈 도리 없는 그런 곳이 시작됩니다." 노산은 셋째와 넷째 구융소에 대해서는 따로 구체적인 묘사를 남기지 않았다. 다만 셋째와 넷째 구융소 사이에 바위를 끌어안듯 위태롭게 넘어가야 하는 '안돌이바위'가 있다고 했다. 아쉽지만 계곡 산행이 금지돼 있어 체험으로 찾아내기는 어렵다.

산주소

넷째 구융소를 지나면 산주소(散珠沼)라는 와폭, 즉 누운 폭포를 만난다. "비교적 넓고 평평한 암석이 순하게 엎드려서, 기대고 눕기를 청하는 듯"하다. 산주(散珠)는 '흩어진 구슬'이니 아마도 '구슬처럼 흩어지는 물방울'을 묘사한 이름일 터이다. 노산은 금강산 산주연(散珠淵)과 비교한다.

> 가벼이 날리는 듯 펑펑 쏟히는 듯 돌 뿌다귀에 부딪고, 돌 모서리에 미끄러지고, 둘과 셋이 뭉치어 한 알이 되었다가는, 다시 그것들이 서로 마주쳐, 열도 되고 스물도 되어 깨어지고 흩어져서, 돌확에 아람 같은 덩이를 지어 흘러내리는 저 산주소(散珠沼)의 경관은 실로 금강의 산

주연(散珠淵)과 명실(名實)이 같은 자입니다.

지금은 이 산주소 위로 철제 다리가 놓여있다. 노산은 험난 중에 만난 부드러움 앞에서 시 한 수 읊고 갈 여유를 찾았다.

생기고 또 생기어 다함 없는 이 구슬을
흩고 또 흩어 아낌없이 쏟는 여기
이 한 알 주워간 사람 어느 뉘라 하더이까.

옥(玉)은 팔더이다 옥은 사더이다
사려 사올진댄 그 옥이 귀하리까
보올뿐 쥐도 못함이 참 옥인가 하나이다.

설악문

옥구슬이 흩어지는 듯한 산주소를 지나면 설악문이 나온다. 설악문 전까지를 지리곡, 그 이후부터는 탕수동으로 부른다고 소개한다. 여기서부터 '본격적인 경승(景勝)'이 펼쳐진다. "지나온 수석경(水石景)도 비범한 것이었으나 참으로 설악 심승(深勝)은 이 석문을 들어서야만 시작된다"고 했다.

산주소(散珠沼)를 떠나, 개울 오른쪽 길로 청산가를 부르며, 돌길을 더듬어 가노라니, 거대한 두 개 암석이 밑은 따로 놓이고 머리는 서로 맞대어, 천성(天成)의 문을 이룬 것이 있는데, 이것을 설악문이라 합니다.

설악문은 두 개의 큰 암석이 머리를 맞대고 있어야 한다. 언뜻 지리산 천왕봉 밑의 통천문을 떠올린다. 대략 남교리에서 5리(2km), 40분 거리의 개울 오른쪽이다. 그런데 없다. 어차피 한 번의 탐방으로 모두 고증할 수 있기를 기대하지는 않았다. 2023년 6월에만 두 차례 방문해 이리저리 살폈다. 미련이 남는 곳은 오를 때 가보고 내려올 때 또 확인했다. 결론적으로 현재 이 계곡에 그런 바위는 없다고 본다. 세월의 힘이 어느 한쪽 바위를 밀어낸 것일까.

승폭과 승소

"석문(石門)을 떠나, 약 이십 분쯤 지난 때에, 어디에선지 찬 기운이 코밑을 찌르고 스치면서, 고막을 하마 뚫어 터칠 듯이 내려쬐는 물소리를 한가슴 밀어붙입니다. … 백여 척이나 되는 검으무툼한 석벽으로 떨어지는 수량조차 무섭게도 많은 폭포인데 …" 이름하여 승폭(僧瀑)이다. 옛날 한 스님이 "어느 가을날 달 밝은 밤에, 오히려 세상 번뇌와 우울을 울다 못하여" 뛰어내린 곳이라 한다. "슬픈 일입니다. 사람이 죽다 하니 슬픈 일이요, 노승이 근심으로 죽다 하니 더 슬픈 일이요, 아니, 그보다는 그가 중이고 보매, … 그 부족한 수도가 더 슬픈 일입니다. 그러나 다시 생각해보면, 그 모든 것보다도 번뇌를 벗을 수 없는 '사람' 그것이 본시부터 더 슬픈 것이 아니오리까." 노산은 짐짓 스님의 처신을 나무라면서도, 물속에 그 '곡뒤'(환영)가 보이는듯하다며 조가(弔歌)를 지어 위로한다.

가을날 달 밝은 밤을 저 노승 근심에 싸여

깊은 이 산을 이리 저리 헤매다가
이 소(沼)에 그 몸을 던져 다 잊으려 하옵든가.

늙도록 울어 살고 눈물 아직 또 남으니
천 번 헤어보고 만 번 남아 생각하되
산다는 인생 일생이 그렇이도 슬프든가.

지금 물 속으로서 보이는 저 '곡둬'가
상기도 근심 그득한 그 얼울 그대롤네
가서도 인간 번뇌는 벗기 저리 어려운가.

죽는다 산다 함이 같은 일로 아시든들
구태 늙으신 몸 이소(沼)에야 들었으리
닦은 도(道) 채 부족하여 깨단 미쳐 못하셨나.

저 승(僧)의 하온 일을 사람아 의논 마소
제 몸을 던졌거니 남의 말씀 부질없소
수중(水中)에 드신 저 혼이 부디 편안 하시과저.

승폭(僧瀑)과 승소(僧沼)는 위치 확인이 어렵지는 않다. 설악문까지 5리(2km), 거기서 20분 정도 올라간 곳에 있는 폭포라면 대강 위치가 나온다. 승폭에서 칠음대까지 15분이라는 기록도 중요한 정보다. 그런데 국립공원관리공단의 이정표가 혼동을 준다. 계곡 입구에서

2.8km 지점에 엉뚱하게 '응봉폭포'라는 팻말을 붙여놓았다. 노산 산행기에 따르면 진짜 응봉폭포는 여기서 40분을 더 올라간 위치에 있다. 노산의 묘사와 기록이 너무나 구체적이어서 혼동의 여지가 전혀 없다. 응봉폭포는 칠음대와 구선대를 지나 그다음에 나와야 한다. 그렇다면 지금 여기서 본 저 폭포는 승폭이 분명하다. 일단 노산의 기록에 신뢰를 둔다.

다만, 승폭과 승소의 기세와 위세는 그때와 많이 달라졌다. 노산의 묘사처럼 '백여 척이나 되는 석벽'과 '수량조차 무섭게도 많은 폭포'는 아니다. 지금은 자갈이 많이 깔려 그리 넓지도 깊지도 않은, 그저 예사로운 웅덩이로 보인다. 이런 곳에서 몸을 던지면 익사보다 뇌진탕이 우려된다. 가가(呵呵)!

칠음대

> 승소(僧沼)에서 한 십오 분쯤 지난 때에, 광대한 반석 위에 이게 무슨 기관(奇觀)입니까. 두 칸(間)쯤의 넓이로 또 상당히 두터운 물이 일곱 번 굽이쳐 흐르는 양은 손도 안 대고 보는 이의 어깨를 올렸다 내렸다 합니다. 이름조차 칠음대(七音臺)! 무수한 지상의 악성들이 궁(宮), 상(商), 각(角), 징(徵), 반징(半徵), 우(羽), 중한(中閑)의 칠음(七音)을 짧고 길게 받고 넘긴, 온갖 악조의 본원이 알고 보매 여기입니다. 천인(千人)의 우륵(于勒)과 만인(萬人)의 베토벤을 한데 뭉친, 그 어떤 이를 천만인이나 다시 모아, 그 위대, 숭고, 청아, 명랑한 대작 대곡을 내

어놓게 할지라도, 이 칠음대의 들을수록 신비한 자연의 묘악을 따를 수는 없을 겁니다. 몇천만의 '샆(#)'과 '블랙(b)'이 서로 얽히어, 영원한 무휴지부(無休止符)의 대신곡(大神曲)을 아뢰는 여기, 언제 와 듣든지, 듣다 말고 가든지, 토막토막 그대로가 완성한 대곡(大曲)이건만, 화옹(化翁)께 묻는다 하면, 악보의 첫 소절도 아직 채 덜 했다고 할 것입니다.

칠음대 역시 찾기가 어렵지는 않다. 지금도 많은 탐방객이 이곳에서 쉬어간다. 수백 명이 앉아서 산중 음악회를 감상한다 해도 넉넉한 공간이다. 너른 반석 위로 물이 흐르다가 작은 폭포를 이루며 떨어진다. 화옹은 오늘도 지휘봉을 흔들며 음악을 연주한다. 물소리의 반향은 계절에 따라 다르리라. 음색은 또 바람과 나뭇잎이 그때그때 바꿔 놓으리라. 우륵과 베토벤을 넘어서는 명곡으로 들을지는 저마다의 내공에 달려있다.

칠음대 이 곡조를 누구나 들으련만
듣는 이 그 누구나 기뻐 춤을 추옵건만
여보소 어느 당신이 깊은 그 뜻 아시오

천만음 한데 얼려 한 곡조로 들리어도
한 곡조 깊은 속에 천만음 들었나니
화옹의 크신 예술을 분별하기 어려워라.

구선대

이 칠음대를 지나 십 분쯤 더 가면, 이것은 또 무슨 기우기관(奇又奇觀)입니까. 칠음대와 그 성질은 같으면서도 그 굽이친 것이 어딘지 모르게 좀 더 멋있어 보이는 자(者)로 이번은 다시 구전(九轉)하여 흐르는데, 이것은 이름도 맞추어 구선대(九仙臺)라 합니다. … 구선대의 청수한 품자(品資)! 구선대의 숭려한 자태! 신비와 황홀의 극치사(極侈奢)한 면사포를 쓰고, 원무(圓舞), 전무(轉舞), 선무(旋舞), 곡무(曲舞)를 가추가추 보이는 이 예술의 전당! … 어디에선지 불어오는 바람은 구선(九仙)의 치맛자락을 날립니다. 아니, 이것이 구선의 선무(旋舞)로 말미암아 생기는 향풍(香風)이 아닌지요. 참 좋거든요. 어허, 참 좋거든요!

흥에 겨운 노산은 감탄사를 연발한다. "지팡이를 던져놓고, 바보같이 입을 벌리고 앉아 멍하니 보다가, 구선 따라 활개를 들고 배운데 없는 춤을 제멋대로" 추고 만다.

구선녀(九仙女) 너훌너훌 제 춤이 따로 있어
원무(圓舞) 전무(轉舞)에 선무(旋舞)요 곡무(曲舞)로다
인간에 못 보는 춤을 여기 와서 보는구나.

저 사람 저 무슨 춤 저리도 우서운고

> 허허 모르시거든 가만히나 서 계시오
> 구선(九仙)도 갈라 추는 춤을 모둬 추니 그렇소.

구선대는 지금도 매끈한 품새를 유지하고 있다. 노산의 표현대로 "어딘지 모르게 좀 더 멋있어 보이는" 곳이다. 탐방로에 철제 난간을 설치해 내려서지는 못하도록 했다. 구선대 위쪽으로 무지개를 닮은 다리를 놓았다.

응봉폭

진짜 응봉폭포는 놓치기 쉽다. 노산도 안내인이 "소매를 당겨주지 않았던들, 참말로 눈뜬 소경의 한탄"을 할 뻔했다고 한다. 계곡 왼쪽 산봉우리 이름이 응봉이다. 그 절벽 밑의 폭포는 길이가 "실로 수백 척을 넘나들까 싶은 승관(勝觀)"이다. "구선대에서 십오분쯤 올라온 때에, 계곡의 본류에서는 조금 떨어진 저편 좌벽 위에 또 한 번 기장(奇壯)한 응봉폭(鷹峰瀑)이 내려질림이외다." 폭포의 수량은 많지 않다고 했다. 그 여윈 모습이 오히려 노산의 마음을 끈다. 노산은 세상이 알아주지 못하는 고고한 선비의 모습을 폭포에 투영하며 연민한다.

> 남들 다 모인 자리에서 외로이 빗겨나 저 혼자 따로 선 만큼, 그 불우에 조의악식(粗衣惡食), 고심노사(苦心勞思)한 탓이온지, 수량은 여윈 품입니다. 아니, 하지만 사람도 고품(高品)의 선비는 그 몸이 비대하지 않은 것 같이, 오히려 그 청수한 약류(弱流)가 어찌 보면 외롭고 슬

프시어도, 다시 보면 단단한 기개가 사람의 심장을 화살
로 쏘는 것 같습니다.

여기서 읊은 시조는 우리에게 익숙한 3장(章) 형식이 아닌 양장(兩章) 시조이다. 여윈 폭포에 어울리는 형식으로 본 것 같다.

까마귀 뭇 까마귀 내로라 다투어도
청강(淸江)에 숨어 뜰지언정 백로 아니 좋을는가.

사해(四海)에 이름 날려 저 뿐인양 할지라도
파묻힌 천재 호걸이 더욱 아니 그리운가.

잘나고 품(品)도 좋아 저리 시원 하건마는
경(景)에도 불우(不遇)가 있다니 다시 한번 애닯아라.

왜 저 아래 승폭에 '응봉폭포'라는 안내판을 붙이고, 정작 응봉폭포에는 아무런 표시도 없을까. 국립공원관리공단의 조치를 선의로 해석하면 이렇다. 현재 노산이 기록한 응봉폭포는 물이 말라붙어서 폭포로서의 존재감을 거의 잃었다. 그냥 절벽으로만 보인다. 답사하기 전 며칠 동안 간간이 비가 뿌렸다. 그 직후에 갔는데도 폭포는 볼 수 없었다. 혹시 폭우라도 쏟아지면 잠깐 폭포가 될까. 승폭도 응봉 밑에 있으니 응봉폭포라는 명칭을 나무랄 수만은 없다. 노산이 안다면 더욱 애달파 하겠지만.

독탕 북탕 무지개탕

마침내 이 계곡 최고의 비경에 이르렀다. 사람들은 지금까지 십이선녀탕의 12개 탕 중에 몇 개를 보면서 올라온 줄 안다. 그러나 아니다. 지금까지 본 것은 탕의 숫자를 헤아릴 때 쳐주지도 않는다. 지금부터 탕과 폭을 헤아려야 한다.

> 이리하여 약 이십 분을 지나 오르니, 금시로 이 산중(山中)에 무슨 큰 난리가 일어난 줄만 속아보도록 장폭대폭(長瀑大幅)이 성성대후(聲聲大吼)하는 양은, 묻지 않아도 이 동곡(洞谷)에 군림하신 그 옥좌적(玉座的) 존재일시 분명합니다. 과연 이 동곡을 탕수동이라 한 '탕(盪)' 그것이 여기 이것입니다. 전후 합하여 저 남교리에서 이십리를 거(距)한 이곳에서부터 소위 '탕'이란 게 시작됩니다.

처음 보이는 것은 3폭 3탕, 즉 세 개의 폭포와 세 개의 탕이다. 셋을 하나로 볼 수도 있고, 셋으로 나눠 볼 수도 있다. 무슨 삼위일체의 신비를 여기서 본단 말인가.

> 폭포 아래 들어서자, 한눈에 들어오는 삼절(三折)의 대폭(大瀑). 아니, 하나의 장폭(長瀑)으로 본다면 삼절이라 하겠지만, 실상인즉 별개 세 대폭(大瀑)의 연속으로 볼 이 희유의 장관!

아래부터 차례로 독탕, 북탕, 무지개탕이다. 독은 항아리를 말하고, 북은 베틀의 도구이다. 그래서 한문으로 표기할 때는 옹탕(甕盪), 사탕(梭盪), 홍탕(虹盪)이 된다. 명산의 명승 중에 담(潭)이나 소(沼)나 연(淵)은 흔해도 탕(盪)은 그리 없다. 그 이유는 이곳 탕들의 독보적인 외형이 말해준다. 그런데 탕과 달리 폭포에는 따로 이름이 없다.

> 대개는 담(潭)이라 연(淵)이라 하지마는, 여기서는 따로 '탕(盪)'이라 하는데, 그 까닭은 글자 그대로 한 반석이 둘러 패어 큰 석연(石淵)이 된 때문이거니와, 또한 그대로 이 '탕(盪)'이야말로 이곳 특유한 경관입니다. …… 폭포가 없으면 탕이 없을 그 점으로 보아서는 주객전도라 하겠지마는, 탕 때문에 폭포가 더 이름남을 생각하면, 탕의 이름으로 행세하는 폭포도 그리 섧을 것은 없겠습니다.

노산이 기록한 무지개탕을 요즘 사람들은 흔히 '복숭아탕'이라고 부른다. 아래쪽에서 보면 영락없이 복숭아를 닮긴 했다. 노산은 '복숭아'를 언급하지 않았다. 국립공원관리공단의 지도에는 '용탕폭포(복숭아탕)'으로 표기했다. 즉, 복숭아탕으로 떨어지는 물줄기를 용탕폭포라고 명명한 셈이다. 이렇게 되면 '복숭아탕=용탕'이 되어버린다. 문제는 없을까. 복숭아탕의 뻥 뚫린 구멍을 보면 과연 용이 나올만해서 그런 해석도 수긍은 간다. 다만, 노산은 무지개탕과 용탕을 분명히 구분했다. 용탕은 이보다 위쪽에 있는 마지막 탕이라 했다.

명칭이란 물론 하늘이 지어준 이름은 아니다. 그 시대 사람들이 그렇게 부르면 그대로 굳어져 새로운 이름이 된다. 이제 노산이 기록한 무지개탕이나 홍탕이란 이름은 거의 사라져가는 것일까. 무심한 이들은 주저 없이 탕은 복숭아탕으로, 폭포는 용탕폭포로 부르고 간다.

어쨌거나 이 독특한 탕들은 이 계곡을 넘어 설악 최고의 장관을 선사한다. 이런 절경 앞에 감탄사만 늘어놓을 노산이 아니다. 구름이 되고 달이 되어 저 탕 속에 빠지고 싶다고 노래한다.

천만년 큰 공 들여 탕을 여기 파내시고
사람 짐승을 다 못 들게 하시거늘
눌 위해 이 맑은 옥수 밤낮 고여 두시는고.

송림에 높은 달이 하늘 먼 길 가올 적에
이 탕에 잠깐 들어 쉬어가라 하심이리
원컨대 이 허울 벗고 나도 달이 되옵고저.

떠도는 구름 송이 떠오고 떠가다가
뜬 채로 여기 들어 근심 없이 춤추나니
차라리 이 허울 벗고 구름이나 되옵고저.

공산 나무나무 떨어지는 마른 잎도
마지막 거두어서 고이 씻어 보내시네
슬프다 사람 된 한을 예와 다시 알겠구나.

노산은 비탈길을 위태롭게 올라가 위에서 다시 내려다본다. 무지개탕의 물보라 사이로 무지개가 서렸을까. 세 탕의 이름에 고개를 끄덕인다.

> 초탕인 '독탕'은 독(甕)처럼 생겼고, 그 다음 '북탕'은 끝이 빤 것이 다시 의논할 것 없는 '북'(梭)인데, 또 그다음 '무지개탕'은 물형에 견줄 무엇이 없으므로, 그 장폭(長瀑)에 채홍(彩虹)이 움직임을 가져다 탕명(盪名)을 삼은 것 같습니다.

지금은 탕마다 돌덩이가 들어앉았다. 절경을 앞에 두고 눈물 흘릴 순 없지만 안타까움은 어쩔 수 없다. 오호라, 부질없는 기억이여! "눈물이여, 속절없는 눈물이여!" (Tears, idle tears! Alfred Tennyson)

용탕

> 제3탕을 지나서도 혹은 길고 혹은 짧고, 하나는 크고 하나는 작은 차이는 있으나, 역시 유형 동질의 탕이 그대로 연속적으로 다섯이 더 있습니다. 이 오자(五者)도 아래 삼자(三者)에 비하여 결코 손색이 없습니다마는, 무슨 불행으로인지 이름이 없고, 다만 그중에서 최상(最上)의 것을 용탕(龍盪)이라 할 뿐입니다.

이어지는 다섯 탕 중에 마지막 하나만 이름이 있다. 노산은 후세인에게 굳이 이름을 붙이지 말자고 호소한다. 그래서인지 지금도 이름은 없다.

> 어찌 생각하면 조그마한 돌맹이 하나에도 명자(名字)가 둘씩 셋씩 붙는데, 이런 신폭(神瀑) 영탕(靈盪)에 함자(啣字)가 없다니! 하겠지마는, 다시 헤아리면, 인간의 잡된 지식으로부터 무어라고 불리움을 받지 않으신 그것이 오히려 더 깨끗하고 더 빛남이 아니오리까. 내 감히 후에 오는 이에게 더불어 의논하노니, 우리 이것만은 구태여 라도 영원한 무명씨로 그냥 모심이 어떠하니이꼬.
>
> 이대로 좋으이다 이대로 보시오들
> 사람이 짓는 이름 천부당 만부당을
> 말로써 부르지 말고 마음으로 부르시오.

십이선녀탕의 탕의 개수는 논란이 있다. 보는 이에 따라, 세는 방식에 따라 결과가 다르다. 노산은 8폭 8탕이라 한다. 직접 세어 보니 8폭은 몰라도 8탕은 뚜렷하다.

> 이 탕의 수효에 있어서, 토인(土人)들은 이르되 12폭 12탕이라 하고, 권기(權記)에는 5폭 10탕으로 적혔습니다. 같은 경(景)을 같은 눈으로 헤아린 것이 이같이 서로 다름은, 물론 과장으로나 취사(取捨) 여하의 소치이겠지만,

나는 우리 여러 사람의 일치한 계산에 거(據)하여 8폭 8탕이라고 써두는 것입니다.

위쪽 마지막 탕엔 '용탕'이라는 이름이 있다. 용에 관한 전설과 기우제 장소로 사용된 내력 때문이다. 위쪽에 있으면서 기우제를 지낼 만한 공간이 있는 탕을 찾아보면 어느 탕인지 바로 알 수 있다.

최상(最上) 용탕에는 수폭(垂瀑)의 속(裡) 벽면에 소위 '용혈(龍穴)'이란 것이 시꺼멓게 뚫렸는데, 자고로 토인(土人)의 기우처(祈雨處)라 하는 만큼, 이곳을 단순한 승경(勝景)으로 보기보다는 오히려 신성 영험한 존재로 알아왔던 자취도 살필 수 있겠습니다.

폭포 속(裡) 벽면에 용혈이 시꺼멓게 뚫려있다는 묘사는 무지개탕(복숭아탕)에 더 잘 어울린다. 출판본에는 속(裡)이 아니라 맨(裸) 벽면이라 했다. 그러면 용탕일 수도 있다. 이 때문에 복숭아탕과 용탕을 동일시하는 혼란에 노산도 어느 정도 책임이 있다.

용탕 주변에는 여러 명이 앉아 쉴 만큼 넉넉한 공간이 있다. 노산도 이곳 "탕변(盪邊) 암상(岩上)에 앉아" 감상을 이어간다. 생각이 꼬리를 물면서 자연의 위력 앞에 두려운 마음과 그 두려움을 넘어서는 매력을 음미한다.

실로 탕수의 위암(危岩) 거폭(巨瀑)들은, 미묘도 아니요,

> 다정도 아니요, 자애도 아니요, 다만 위혁(威嚇)입니다. 그러므로 달 아래 걸어오는 담장가인(淡粧佳人)도 아니며, 기쁨과 슬픔을 숨김없이 의논할 벗도 아니요, 언 손발을 녹이라고 무릎 밑에 넣어주실 어머니도 아닙니다. 다만 무서운 매를 드신 아버지와 같습니다. 그러나 그 무서운 자리 앞을 물러나, 다시 보고 생각하매, 거기엔 미묘 이상의, 다정 이상의, 자애 이상의, 위풍당당한 남성미 내지 남성애(男性愛)라 할, 그 무엇이 가슴 속에 큰 인상을 박아줌을 느껴 알겠습니다.

두문폭

8폭 8탕 이후에 마지막 폭포 하나가 더 있다. 두문폭포로 불리는 곳이다. 용탕에서 백여 미터만 더 오르면 된다. 요즘 새로 난 탐방로에서는 우거진 나무에 가려 잘 보이지 않을 수 있다. 노산은 마음이 급했는지 이 두문폭포에 대해서는 간단히 묘사하고 넘어갔다. 별도의 감상도 남기지 않았다. 이미 8폭 8탕을 보았으니, 더 무엇을 바라랴.

> 여기서 얼마 아니하여 또 한 개의 장폭(長瀑)을 만나니, 이것은 두문폭(杜門瀑)입니다. 용탕 위에서부터 계곡 막바지에 높다랗게 솟아 막힌 감투봉 아래까지의 10리를 따로 두문곡(杜門谷)이라고 부르는 까닭에, 그 속에 있는 폭포라 하여, 이것을 두문폭이라고 부릅니다.

'두문'폭포는 두문동에서 따왔을 것이다. 두문동은 조선 왕조를 거부하며 숨어 살았던 고려 선비들의 은거지였다. 두문불출의 유래가 된다. 노산에 따르면 두문폭이 이 계곡의 마지막 폭포이다. 이후로는 탕과 폭에 대한 묘사가 없다. "혹은 개울 바닥으로 혹은 잡목 사이로" 걷다가 "용탕을 떠난 약 1시간 만에 감투봉 위로" 올라섰다고 기록한다.

그렇다면 계곡 입구의 국립공원관리공단 안내판은 문제가 있다. 두문폭포라고 표기한 그 사진 속의 폭포는 노산이 말한 용탕이다. 용탕이 두문폭포일 수 없는 이유는 두문폭포는 따로 떨어져 있는 마지막 폭포이기 때문이다. 용탕은 '장폭(長瀑)'도 아니어서 도저히 두문폭포로 인정할 수 없다. 그러면 진짜 두문폭포는 이름도 없는 숨겨진 폭포가 되고 만다. 두문폭포는 숨어있어야 어울리니 그 이름대로 된 것인가.

노산의 발걸음을 따라 십이선녀탕계곡을 답사한 산행은 여기까지이다. 계곡 입구에서 복숭아탕까지는 4.2km, 왕복 네댓 시간 정도 걸린다. 고도차는 400m 정도, 난이도는 숲길 산책과 등산의 중간 정도로 보면 된다. 곳곳에 철제 다리와 데크 탐방로를 놓아 안전도는 크게 높아졌다. 계곡 암반을 딛고 다녔던 옛 정취를 기억하는 사람은 좀 아쉬울 수 있다. 초행인 사람에게는 여전히 폭과 탕의 황홀한 향연이다.

노산의 여정은 계속된다. 지리곡과 탕수골, 두문곡을 지나온 노산은 여기서 '감투봉'을 넘는다. 경로와 소요 시간을 맞춰보면 지금 '안산'으로 불리는 봉우리를 넘어갔다. 그 이후로는 한계고성, 옥녀탕, 장수대, 대승폭포, 대승령, 흑선동계곡, 백담사, 봉정암, 대청봉, 마등령, 비선대, 신흥사로 이어진다. 그 길도 언젠가 천천히 되밟을 날이 있으리라 기대한다.

※「설악행각」의 원문은《동아디지털아카이브》(1933.10.15. ~ 12.20.)와『노산 산행기』(이은상, 한국산악회, 1975년)에서 인용했다. 두 자료의 표현이 미세하게 다르다. 동아일보 연재 기사를 우선으로 하되, 필요에 따라 비교 보완했다. 한문 어휘 일부를 임의로 한글로 바꿨다.

솔숲에 흐르는 시향과 묵향

시집박물관과 여초서예관

길은 마을에서 마을로 이어진다. 길은 사람이 다닌 흔적이며, 마을은 그 사람들이 모여 사는 곳이다. 고개를 넘고 산허리를 둘러도 결국 만남을 위한 길이다. 길 끝에 사람이 있고, 그들의 순박한 삶이 있다. 그 땅에 뿌리박고 살아가는 사람들이 희비애환을 흩뿌리며 걷는다. 그들의 눈물과 웃음, 한숨과 위로, 고통과 희망의 사연이 길 위에 쌓인다. 그 이야기가 모여 전설이 되고 역사가 되고 신화가 된다.

마을 길을 걷는 맛은 숲길이나 오솔길과는 퍽 다르다. 논밭 사이를 가로지르거나, 동네 복판을 지나며 주민들과 인사를 나누기도 한다. 대체로 고즈넉한 숲길을 좋아하지만, 이따금 마을 길을 걷는 기분은 색다르다.

인제 남교리에서 용대리까지 걷는 길은 가을 정취가 익어가는 계절에 걸어볼 만한 아름다운 길이다. 국도와 떨어진 마을 길이면서도 문화와 예술의 격조를 품은 색다른 길이다. 십이선녀탕 입구인 남교리

정류장에서 하차해 바로 걷기를 시작할 수 있다. 설악산 일대의 물줄기를 모은 북천이 흐른다. 그 천변을 따라 길이 있고, 마을이 있다.

걷기를 즐기는 사람들은 웬만하면 아스팔트 길은 피하고 싶어 한다. 시멘트 포장도로도 마땅치 않다. 발바닥과 무릎에 충격이 오고 피로가 쌓인다. 되도록 흙길이면 좋다. 적당히 우거져 햇살이 성기게 들어오는 숲길이면 더 바랄 게 없다. 시인의 표현 그대로다. "살진 젖가슴과 같은 부드러운 이 흙을 발목이 시도록 밟아도 보고, 좋은 땀조차 흘리고 싶다." (이상화)

마을 길을 걸을 때는 이런 기대를 잠시 접어야 한다. 농기계가 늘어나고 차량이 많아지면서 웬만한 마을 길은 대부분 포장도로이다. 시대의 풍요와 더불어 흙길이 포장되고, 좁은 길이 확장되고, 굽은 길이 펼쳐지는 것은 자연스럽다.

햇빛에 반짝이는 북천을 보며 걷다 보면 솔숲을 지나고, 만해교를 건너 만해마을에 이른다. 동국대학교가 운영하는 휴양 시설이다. 청소년과 대학생 수련, 기업 연수, 가족 휴양에 적합한 숙박과 편의 시설을 갖추고 있다. 해마다 8월이면 만해축전과 만해대상 시상식이 이곳에서 열린다.

만해 대선사는 내설악 백담사에서 사미계와 비구계를 받고 치열한 수행승으로서, 시인이자 독립운동가로서 뚜렷한 삶을 살았다. 만해사상실천선양회는 만해 정신을 기리고 선양하기 위해 2003년 용대리 북천 변에 만해마을을 조성했다. 나중에 모든 시설을 동국대학교에 기증했다. 만해문학박물관을 비롯해, 문인의 집, 만해학교, 청소년수련원, 북카페, 님의 침묵 광장, 님의 침묵 산책로 등이 있다.

만해문학박물관은 종교를 초월한 만해의 개혁 정신과, 문학, 철학 사상을 조명하는 데 초점을 맞췄다. 입구에는 만해 선사의 흉상이 서 있다. 문을 들어서면 벽에 "자유는 만유의 생명이요, 평화는 인류의 행복이다."라는 만해의 법문이 보인다. '풍상세월(風霜歲月)', '유수인생(流水人生)' 등 친필 서예도 여러 점 걸려 있다. '연보로 본 만해 한용운'과 '주제로 본 만해 한용운'을 찬찬히 읽다 보면, 한평생 꼿꼿한 기개로 살다 간 그 삶 앞에 숙연해진다. 한쪽 유리 벽 너머로 걸어 들어오는 듯한 만해의 동상이 인상적이다.

만해마을 '문인의 집'은 문인들을 위한 창작 지원 공간으로 제공되다가, 지금은 일반인 숙박도 받고 있다. 북카페는 만해 관련 서적을 뒤적이며 차 한 잔 마실 수 있는 공간이다. 잔디 정원 안쪽으로는 노천극장인 '님의 침묵 광장'이 있어 시낭송회나 공연 무대로 활용된다. 북천을 따라 짧은 산책로도 조성되어 있다.

만해마을을 지나면 바로 국내에 하나뿐인 한국시집박물관이 보인다. 우리나라 근 · 현대기의 시집(詩集)을 체계적으로 전시하고, 학습과 체험을 제공하는 곳이다. 국내외 300여 명의 시인들과 소장가들이 기증한 시집 1만여 권을 소장하고 있다. 정지용 시집 등 1950년대 이전에 간행된 희귀시집 100여 권도 포함돼 있다.

1층은 자유롭게 시집을 대여해 읽을 수 있는 작은 도서관으로 운영한다. 2층에는 우리 시의 역사를 연대기로 정리한 상설 전시실과 기획 전시실이 있다. 2023년 7월에 방문했을 때는 '숲속의 시작(詩作)' 전시회가 열리고 있었다. 숲을 주제로 한 시를 그림을 곁들여 전시했다. 시를 옮겨 적거나 인용할 때는 원작의 행과 연을 바꾸지 않도록 주의해야 한다. 시인에 대한 예의이기도 하지만, 행을 바꾸고 연을 제멋대로 나눠버리면 더 이상 같은 시가 아니다. 전시의 편의를 위해서라면 시인의 허락을 구했으리라고 짐작했다.

> 그 숲에 당신이 왔습니다 / 나 홀로 걷는 그 숲에 당신이 왔습니다 어린 참나무 잎이 지기 전에 그대가 / 와서 반짝이는 이슬을 텁니다 나는 캄캄하게 젖고 / 내 옷깃

은 자꾸 젖어 그대를 돌아봅니다 어린 참나무 잎이 마르기 전에도 / 숲에는 새들이 날고 바람이 일어 그대를 향해 감추어두었던 길 하나를 / 그대에게 들킵니다 그대에게 닿을 것만 같은 아슬아슬한 내 마음 가장자리에서 / 이슬이 반짝 떨어집니다

_김용택, 그곳에 당신이 왔습니다(부분), 『그 여자네 집』(창비, 11쪽)

한국시집박물관 자체가 숲속에 있는데, 또 그 야외 정원에도 곳곳에 '시인의 나무'가 있다. 소나무 한 그루마다 근현대 시인의 얼굴과 시 한 편을 새긴 기념비를 세웠다. 관람객은 푸른 잔디와 짙은 솔향 속을 거닐며 30여 편의 시를 만나게 된다. 그야말로 인문의 향기가 넘치는 정

원이다. 자연과 문화가 어우러진 휴식과 사색의 공간이다.

만해마을과 시집박물관만으로는 부족했을까. 몇 걸음 걸으면 또 하나의 명품 문화 공간이 기다린다. 여초서예관이다. 한국 서예사의 대가로 꼽히는 여초(如初) 김응현의 서예 작품과 관련 자료 6천여 점을 소장한 서예 전문박물관이다. 2012년에 지어져, 그해 한국건축문화대상을 수상할 만큼 빼어난 건축미를 자랑한다.

여초 선생은 '추사 이후 여초'라는 찬사를 들을 정도로 독보적인 서예의 경지를 개척했다. 친형제인 일중(一中) 김충현과 함께 근현대 서예사의 4대가로 꼽히기도 한다. 병자호란 때 청(淸)과의 강화를 거부한 청음(淸陰) 김상헌의 후손으로, 명필이 많은 집안으로도 유명하다. 서예관 투영 연못의 벽면에 청음 선생의 시 한 수를 여초의 서체로 새겨 놓았다.

石室先生一角巾(석실선생일각건)
暮年猿鶴與爲群(모년원학여위군)
秋風落葉無行跡(추풍낙엽무행적)
獨上中臺臥白雲(독상중대와백운)

석실 선생 머리 위에 일각건을 쓰고
나이 늙어 원숭이 학과 더불어 어울렸네
가을바람 지는 낙엽 행적조차 없거니와
홀로 중대바위에 올라 구름 속에 누웠네.

김상헌은 청에 압송되었다가 6년 만에 돌아와 석실(石室)이라는 호를 쓰며 은거했다고 한다. 여초 또한 1996년부터 인제군 북면 한계리에 '구룡동천(九龍洞天)'이라는 집을 짓고 자연을 벗 삼아 만년의 자유로운 작품세계를 펼쳤다. 이런 인연으로 2013년 인제군 북면 용대리에 전국 최대 규모의 서예 전문박물관인 여초서예관이 세워졌다. 여초의 서법 정신이 담긴 문화재급 서예 작품과 유품, 국내 · 외 서법 관련 자료와 서적 등을 보존하면서, 서예 문화 발전을 위한 다양한 전시와 교육 사업을 진행하고 있다. 여초의 조상인 삼연(三淵) 김창흡 또한 내설악 백담계곡에 영시암을 짓고 머물렀으니, 여초 선생 집안과 인제군은 여러모로 인연이 깊다.

길은 다시 마을로 이어진다. 십이선녀탕 마을에서 백담로가 있는 백담마을까지는 대략 5km쯤 된다. 만해마을과 시집박물관, 여초서예관은 이 길에 시향과 묵향을 선사하는 보석 같은 존재이다. 이 길을 가을에 걸으면 좋은 이유는 길옆에 심은 가로수 때문이다. 이파리를 다 떨군 마가목의 빨간 열매가 매혹적인 가을 풍경을 만들어낸다.

백담마을에는 서울행 시외버스가 정차한다. 교통편을 감안해 이쯤에서 걷기를 마무리해도 좋다. 좀 더 걸으면 황태마을 덕장 풍경이 펼쳐진다. 가는 길에 사립 '내설악 백공미술관'을 만난다. 개인 소장가가 수집한 회화와 조각 작품을 전시하고 있다.

백담사에서 만난 만해 한용운

백담계곡

아름다운 산의 대명사로 흔히 금강산을 꼽는다. 아름다움의 기준에 따라 얼마든지 다른 산을 말할 수 있다. 일찍이 서산대사는 이 땅의 4대 명산을 꼽으면서 '빼어남'(秀)과 '웅장함'(壯)이라는 요소로 평했다. (조선사산평어(朝鮮四山評語))

金剛秀而不壯(금강수이부장)
智異壯而不秀(지리장이불수)
九月不秀不壯(구월불수부장)
妙香亦秀亦壯(묘향역수역장)

금강산은 빼어나되 웅장하지 않고,
지리산은 웅장하되 빼어나지는 못하며,
구월산은 빼어나지도 웅장하지도 못하고,

묘향산은 빼어나면서 동시에 웅장하다.

빼어남은 기암괴석이 많다는 뜻으로, 웅장함은 장대하고 우람하다는 의미로 들린다. 여기에 남녘의 명산 설악산은 빠져 있다. 금강과 설악이 가까이 있고 산세가 비슷하다 보니 같은 부류로 보았을까. 또는 설악을 금강에 못 미치는 아류 정도로 보았을지도 모른다. 육당 최남선의 견해는 좀 다르다. 육당은 이 땅 곳곳을 답사하고 『백두산근참기』, 『금강예찬』, 『조선의 산수』 등을 남겼다. 그는 금강과 설악을 비교하면서 설악이 결코 뒤지지 않는다고 강조했다.

설악산은 절세의 미인이 그윽한 골속에 있으되, 고운 양자(모양과 자태)는 물속의 고기를 놀래고, 맑은 소리는 하늘의 구름을 멈추게 하는듯한 뜻이 있어서, 참으로 산수풍경의 지극한 취미를 사랑하는 사람이면 금강보다도 설악에서 그 구하는 바를 비로소 만족케 할 것입니다. … 설악의 경치를 낱낱이 세어 보면 그 기장(奇壯)함이 결코 금강의 아래 들 것이 아니건마는 원체 이름이 높은 금강산에 눌려서 세상에 알리기는 금강산의 몇 백천 분의 일도 되지 못함은 아는 이로 보면 도리어 우스운 일입니다.
_최남선, 『조선의 산수』

이보다 먼저 조선 중기의 문인 내재(耐齋) 홍태유도 설악을 높이 평했다. 평생 벼슬을 하지 않고 산천을 유람하면서 많은 시문을 남긴 홍

태유는 「유설악기」에서 이렇게 말한다.

> 나는 명산을 많이 구경하였다. 오직 금강산만 이 산과 더불어 서로 엇비슷할 뿐, 다른 곳은 대항할 만한 곳이 없다. 그러나 금강산의 명성은 중국에 파다하지만, 이 산의 아름다움은 우리나라 사람이라 하더라도 아는 자가 드무니, 이 산은 실로 산 중의 은자(隱者)이다.
>
> **_국립수목원, 『국역 유산기』**

설악산은 백두대간의 주 능선을 품은 산이다. 북쪽에서부터 신선봉 – 미시령 – 황철봉 – 저항령 – 마등령 – 공룡능선 – 소청봉 – 중청봉 – 대청봉 – 끝청봉 – 한계령 – 점봉산 – 곰배령이 이어진다. 이 능선의 동쪽을 흔히 외설악, 서쪽을 내설악으로 구분한다. 행정구역으로는 강원도 인제군과 고성군, 속초시, 양양군에 걸쳐 있다. 남쪽 양양군에 속하는 곳을 따로 남설악으로 부르기도 한다.

설악의 품은 크고 넓어 그 능선과 계곡은 저마다 색다른 매력을 뿜어낸다. 제대로 감상하려면 계절을 달리해가며 수십 번의 산행이 필요하다. 내설악 백담계곡은 설악에서 흘러내리는 여러 물줄기 가운데서도 가장 아름다운 계곡미를 자랑한다. 어름치와 열목어가 사는 맑디맑은 물이 흐른다. 구비를 돌 때마다 기암괴석과 울창한 수림이 시선을 빼앗는다. 사계절이 아름답지만, 특히 초여름 이후의 물빛은 언어로는 표현할 재간이 없다. 나뭇잎을 씻어낸 듯한 녹수가 햇빛을 안고 어른거리는 모습은 자연이 빚어내는 절정의 예술이다. 은은하게 물드는 가을의 산색은 또 어떤가. 이 계곡 단풍의 아름다움은 어디에 내놓아도 빠지지 않는다. 눈 덮인 겨울 백담을 본 사람들은 또 그 동화 같은 설경에 탄성을 터트린다.

계곡이 워낙 길다 보니, 구간별로 다른 이름으로 불린다. 백담사 입구 마을인 용대리부터 백담사 부근까지를 백담계곡이라 한다. 그 위쪽으로 수렴동 계곡과 구곡담계곡이 이어진다. 가야동계곡과 백운동계곡, 귀때기골, 흑선동계곡, 곰골 등 내설악의 거의 모든 물줄기가 이 백담계곡으로 모여든다.

인제군 북면 용대리부터 백담사까지는 셔틀버스가 다닌다. 버스 운행을 위해 도로를 포장하면서 이 계곡을 걸어서 탐방하는 사람은 많이 줄었다. 좁은 길에서 오가는 버스를 피해 비켜서야 하니 위험하기도 하다. 그러나 버스 타고 휙 지나가며 감상하기에는 너무 아까운 경치이다. 자연에 대한 예의가 아니라는 자책감이 생긴다. 걷기를 즐기는 뚜벅이족을 위해 차도 옆으로 데크 보행로를 설치하는 공사가 진행 중이다. 이런 길은 잘못 만들면 흉물이 되고 만다. 2023년 가을, 길의 운치가 궁금해 탐방에 나섰다. 모든 길은 걸어야 제맛이다.

백담(百潭)이라는 명칭은 이 계곡의 담(潭)과 소(沼)가 줄잡아 백 개는 된다는 뜻일 터이다. 옛 선인들은 계곡을 통틀어 곡백담(曲百潭)으로 불렀다. 그 많은 물터에 모두 이름을 붙이진 않았을 테니, 이름 있는 곳만이라도 알아보려는 눈이 필요하다.

이 길을 걷기에 앞서 미리 읽어보면 좋은 자료가 있다. 강원한문고전연구소장 권혁진 박사의 『설악인문기행』이다. 조선 선비들의 시문을 토대로 일일이 현장을 답사하고 꼼꼼히 확인해 기록한 역저이다. 저자

는 선인들의 기록 속에서 이 계곡에 있던 금강담(금강연), 백연정사, 농월대, 두타연, 광암, 상암, 제기, 학암, 포전암, 부전암 등을 나열한다. 과연 이 모두를 찾아볼 수 있을까. 걸으며 보물찾기에 나섰다.

백담사까지 가는 길에 다리를 네 번 건넌다. 국립공원 설악산 지도에는 금교, 수교, 강교, 원교가 차례로 나온다. 이 이름에 무슨 심오한 의미가 있을까. 자료를 찾아보니 금수강산이 아닌 '금수강원(錦繡江原)'에서 한 글자씩 배분했다는 설명이 그럴듯하다. 첫 번째 다리 금교는 일반 지도에는 내가평교로 표기되어 있다. 이 다리들이 보물찾기의 이정표가 된다.

금강담은 찾기 쉽다. 백담사행 마을버스 매표소를 지나면 곧바로 첫 번째 다리를 만난다. 금교 또는 내가평교 위에서 보이는 바위와 못이 금강담이다. 여름에 프리다이빙과 스노클링을 할 만큼 물이 깊다. 물놀이가 허용된다면 국립공원 경계 밖이라는 뜻인가. 백연정사와 농월대는 삼연 김창흡의 「설악일기」에 등장한다. 다리 건너기 전 왼쪽으로 계곡을 거슬러 올라야 하는 위치인 듯하다. 현재 탐방이 금지된 영역이다.

두타연은 국립공원관리공단이 발간한 지도에는 두태소로 나온다. 백담계곡의 관문인 국립공원관리공단 백담분소를 지나 400m쯤 가서 왼쪽으로 보이는 계곡을 살핀다. 물가의 너럭바위 위로 우뚝 솟은 암봉이 보이면 그 아래가 두타연이다. 세 번째 다리인 강교를 건너면 학암(학소벽)과 거북바위를 찾아야 한다. 계곡 건너편에 깨어진 듯 속살을 드러낸 바위 절벽이 학암이다. 절벽 위로는 쭉 뻗은 소나무들이 마치 창검을 들고 지키는 군사처럼 늘어서 있다. 곧이어 만나는 거북바위는 고개를 바짝 치켜든 거북의 모습이 뚜렷하다. 보는 각도에 따라 달리 보이므로 자칫 놓치기 쉽다.

강교를 건너면 길이 오르막 언덕을 넘으면서 계곡이 저만치 아래로 보인다. 주민들이 청룡재로 부르는 고개이다. 이 고개를 넘다 보면 왼쪽 아래로 은선도가 보인다. 물이 크게 휘돌아 섬처럼 보이는 산줄기이다. 풍수지리에서 말하는 산태극수태극의 지형이다. 단풍에 물든 가을 은선도의 모습은 매우 고혹적이다. 은선도를 지나 계곡이 다시 한 번 크게 휘어지는 곳에 청룡담이 있다. 등산로와 멀찌감치 떨어져 있고 나무에 가려 잘 보이지 않는다. 대략적인 위치는 국립공원 지도에서 추정해 볼 수 있다. 곧이어 네 번째 다리인 원교가 보인다.

보물찾기가 끝날 때쯤 어느덧 백담사가 보인다. 백담사는 만해 한용운의 청정한 정신이 서린 곳이다. 만해 선사는 26세이던 1905년 백담사로 출가했다. 1910년 불교 혁신을 부르짖는 「조선불교유신론」을 이곳에서 저술했다. 3.1운동으로 옥고를 치른 뒤 다시 설악의 품으로 돌아와 시집 「님의 침묵」을 탈고했다. 백담사 경내에는 만해 관련 각종 자료와 유물을 전시한 만해기념관이 있다.

1913년에 간행된 「조선불교유신론」은 한국 불교에 죽비를 내리친 대담한 논저이다. 당시 불교는 미신과 토속 신앙에 물들고, 일본 불교의 지배에 짓눌려, 깊은 침체에 빠져 있었다. 만해는 조선불교의 병폐와 낙후성을 통렬하게 비판하면서 구체적인 혁신의 방법론을 제시한다. 그 서문의 한 대목이다.

유신이란 무엇인가. 파괴의 자손이요. 파괴란 무엇인가.

유신의 어머니다. 세상에 어머니 없는 자식이 없다는 것은 대개 말들은 할 줄 알지만, 파괴 없는 유신이 없다는 점에 이르러서는 아는 사람이 없다.

_한용운, 『조선불교유신론』, 이원섭 옮김

유신은 결국 근본으로 돌아감이 아닐까. 새롭게 한다는 것은 청정 선풍을 되살린다는 말과 다르지 않다. 만해는 시인이고 독립운동가이기 이전에 치열한 선승이었다. 선승으로서의 만해에 대해 우리는 잘 모른다. 시인 한용운이 선승 만해를 가리고 있다. 불과 31세, 출가 5년

에 분연히 유신을 부르짖은 만해는 오늘의 한국 불교에 대해 어떤 말을 하고 싶을까. 청정 쇄신은 모든 종교가 끊임없이 추구해야 할 길이다. 그런 의미에서 「조선불교유신론」의 생명은 오늘도 살아있다.

백담사 역시 가려진 부분이 있다. 아름다운 경치에 취해 용맹정진하는 참선 도량을 보지 못한다. 백담사는 조계종의 기본 교육기관인 기본선원으로 지정된 사찰이다. 만해기념관 옆 무금선원이 그 역할을 한다. 출가 후 사미계를 받은 스님들을 정식 승려로 키워내는 수좌 사관학교 같은 곳이다. 백담사는 또 무문관(無門關) 수행을 이어가는 몇 안 되는 도량으로 알려져 있다. 동안거나 하안거 기간에 두세 평 독방에서 폐문 정진하는 가혹한 수행법이다. 말하자면 기초 교육부터 고난도 수행까지 모두 아우르는 절이 백담사이다. 무금선원 무문관은 살짝 숨어 있어 잘 보이지 않는다. 백담사를 벗어나 등산로를 따라가면서 계곡 건너편을 보면 숲속에 절집이 보인다. 면벽좌선, 장좌불와의 선승을 상상하며 잠시 고개를 숙인다.

불교의 진리를 요약하는 말로 불 · 법 · 승의 삼보(三寶)가 있다. 각고의 수행으로 진리를 깨우친 부처님을 가리키는 불보(佛寶), 그 부처님의 가르침과 진리를 뜻하는 법보(法寶), 그리고 가르침을 실천하고 수행하는 제자들을 의미하는 승보(僧寶)이다. 한국 불교에는 이 삼보를 대표하는 사찰이 있다. 영축산 통도사는 부처님 진신사리를 모셨다고 해서 불보사찰이다. 가야산 해인사는 팔만대장경을 소장한 법보사찰이다. 조계산 송광사는 16국사(國師)를 배출했다는 승보사찰이다. 외람되지만, 내설악 백담사는 문향과 시향이 가득하다는 점에서 나는 문보(文寶)사찰이라 부르고 싶다.

영시암에서 만난 삼연 김창흡

수렴동계곡

백담사를 지나면서부터 호젓한 숲길이다. 포장도로가 끝나고 버스도 다니지 않는 이 길은 그야말로 최고의 산책길이다. 정취와 난이도, 두 가지 면에서 최적의 요건을 갖춘 명품 숲길이다. 계곡물은 돌을 품고 휘돌며, 숲은 계곡과 어우러져 절경을 빚어낸다. 설악의 깊숙한 비경을 맘껏 누리면서도 거의 평지나 다름없는 길이 이어진다. 수렴동대피소까지 5km가 채 안 되는 이 길을 걸을 때마다 그저 설악에 고맙고 자연에 감사할 따름이다.

계곡의 이름도 이제부터는 수렴동 계곡이다. 이 계곡 산책은 옛 선인들의 문향이 배인 길을 걷는다는 감흥이 있다. 삼연 김창흡이 밟았고, 노산 이은상이 걸었던 길이다. 만해 한용운도 수없이 오르내렸으리라. 시상을 가다듬고 불교 개혁을 구상하며 이 길을 걷는 만해의 모습을 상상해 본다.

푸른 산빛을 깨치고 단풍나무 숲을 향하여 난 작은 길을
걸어서, 차마 떨치고 갔습니다.

_한용운, 님의 침묵(부분)

나는 이 구절이 백담사 위쪽 수렴동 계곡 어디쯤의 풍경이라고 믿는다. 근거는 없지만 이 길을 걸을 때마다 확신으로 다가온다. 실제로 만해선사가 시집 『님의 침묵』을 탈고한 곳은 오세암이다. 백담사에서 영시암을 거쳐 오세암까지 가는 길은 만해의 시상과 사상이 무르익은 공간으로 봐도 무리가 없다.

설악을 기행하고 예찬한 문인 예술가는 많다. 조선의 선비 중에는 김창흡의 「설악일기(雪岳日記)」, 홍태유의 「유설악기(遊雪嶽記)」, 정범조의 「설악기(雪嶽記)」 등이 대표적이다. 일제 강점기에 신문에 연재된 노산 이은상의 「설악행각(雪嶽行脚)」은 국한문 혼용체로 기록한 빼어난 기행문이다.

노산은 백담사에서 하룻밤을 묵은 뒤 영시암으로 오르던 중 영산담이라는 곳에서 풍광을 찬탄하며 시조를 한 수 읊었다.

영산담(影山潭) 맑은 물에 저기도 내가 있네
누가 참이온지 어느 것이 그림잔지
물속에 지나는 구름 보고, 웃고 돌아서니라.

_이은상, 「설악행각」

영산담은 산 그림자가 비치는 못이라는 뜻일 텐데, 그 위치는 모호

하다. 노산의 묘사를 보면 길골 합류점과 곰골 합류점 사이인 듯하다. “길 오른쪽에 맑고 깨끗한 담(潭)이 있고, 담 아래는 백사장이 보기 좋게 놓였는데, 모래 옆 청색 반석이 기괴한 채로 수십 명은 앉을만하다. … 바위에 올라앉아 물속을 굽어보매, 과연 산도 보이고, 하늘도 보이고, 구름도 보이고, 사람도 보인다”라고 했다.

요즘 지도에는 영산담 표기가 아예 없다. 옛날 지도에는 더러 있으나, 노산이 언급한 위치와는 맞지 않는다. 산꾼들의 기록에는 백담사 위쪽 백담탐방지원센터에서 100m 남짓 떨어진 곳을 영산담으로 지목하고 있다. 영산담 바로 위에 있는 와폭, 즉 누운 폭포를 황장폭포라 했다. 국립공원관리공단의 설악산 지도에는 백담사 위쪽으로 황장폭포와 구룡소를 표기했다. 공단 직원에게 문의하니 백담탐방지원센터를 지나 첫 번째 철제 데크가 나오는 위치에서 오른쪽이 황장폭포라 했다. 영산담과 황장폭포가 거의 붙어 있다는 주장에 따르면 영산담의 위치도 대략 나온다. 황장폭포를 먼저 찾고 그 아래가 영산담이라 추정할 수밖에 없다.

구룡소는 황장폭포 위쪽 흑선동 계곡 입구에 있다. 난데없이 아홉 용이라니 좀 뜬금없다. 무슨 용에 관한 전설이라도 있어야 할 텐데 그런 자료를 찾지 못했다. 말 구유처럼 길쭉한 못에 붙이는 구융소의 와전이라는 심증이 간다. 국립공원관리공단은 설악산을 비롯한 국립공원의 보존과 관리를 책임진 행정 기관이다. 이 기관이 발행한 지도나 안내도는 공공 자료로서 무게감을 지닌다. 그런데 이미 십이선녀탕 계곡 탐사에서 보았듯이 이해할 수 없는 표기가 심심찮게 발견된다. 명칭이 뒤바뀌거나 위치 표기가 잘못된 혼란을 바로잡아야 한다.

다만 명칭은 시대의 산물이니 옛 문헌의 명칭만을 고집하기도 어렵다. 폭포는 말라버릴 수 있고, 소나 담은 토사에 묻히기도 한다. 물의 양에 따라 전혀 다르게 보인다. 구유의 모습을 잃어버린 못을 계속 구융소로 불러도 될까. 내설악의 계곡들은 2000년대의 연이은 태풍으로 큰 피해를 겪었다. 2002년 태풍 루사, 2003년 태풍 매미, 2006년 태풍 에위니아가 설악을 거칠게 할퀴었다. 특히 2006년의 피해가 처참했다. 토사와 자갈에 묻힌 담과 소가 한둘이 아니다. 영산담도 아마 노산이 보았던 그 모습은 아닐 것이다. 백담계곡 보물찾기는 세심한 주의가 필요하다.

백담사에서 한 시간 남짓 걷다 보면 어느새 영시암이다. 이곳에서 기억해야 할 인물은 단연 삼연(三淵) 김창흡이다. 그는 병자호란 때 척화론을 대변한 좌의정 김상헌의 증손이고, 영의정을 지낸 김수항의 셋째 아들이다. 숙종 때 기사환국(己巳換局)으로 부친이 사약을 받고 죽자 세상을 버리고 설악권에 은거했다. 그는 46세이던 1698년 백담계곡에 백연정사를 짓고 10년을 살았다. 이어서 더 깊숙한 곳에 벽운정사를 짓고 머물다가 불이 나자 1709년에 영시암을 짓고 옮겨 살았다. 깊은 산속에 숨어 사는 처지가 그리 편하지는 않았나 보다. 영시암을 지은 뒤 시 한 수로 심경을 표현했다.

吾生苦無樂(오생고무락)
於世百不甚(어세백불심)
投老雪山中(투노설산중)
成是永矢庵(성시영시암)
(생략)

내 삶은 괴로워 즐거움이 없으니
속세에서 모든 일 견디기 어렵네
늙어서 설악에 투신하려고
여기에 영시암을 지었네
_권혁진 옮김, 『설악인문기행 1』

설악산과 영시암
김창흡(金昌翕)과 영시암(永矢庵)

아프고 쓰린 마음을 절절히 토로한 이 시는 노산의 「설악행각(雪嶽行脚)」에도 실려있다. 영시암의 영시(永矢)는 '영원의 화살'쯤으로 짐작된다. 화살을 시간의 은유로 해석하면 '영원의 시간'이 된다. 영원히 이곳에 머물며 세상에 나가지 않겠다는 의지를 담은 작명이다. 이 다짐은 지켜지지 못했다. 끼니를 챙기던 찬모가 범에게 물려 변을 당하자 6년 만에 영시암을 떠났다고 한다.

따져보면 삼연 선생이 이 계곡에 머문 기간은 햇수로 17년이다. 이 적적한 산속에서 참으로 대단한 내공이다. 요즘처럼 풍족한 때가 아니었다. 등잔이나 호롱으로 불 밝히던 시절이었다. 눈이 많은 이 계곡에서 겨울 몇 달 동안은 그야말로 동안거였을 것이다. 스스로 택한 귀양살이나 마찬가지였다. 탈속과 득도의 경지가 아니고서야 어림도 없다. 학문과 수양을 추구한 선비였지만, 내설악의 신선으로 불러도 지나침이 없겠다.

영시암은 나중에 절이 되었고, 6 · 25전쟁 때 소실된 것을 1994년 중창했다. 지금은 조계종 제3교구 사찰인 내설악 백담사의 암자이다. 예전에는 스님도 없는 절 한 채만 있더니, 최근 몇 년 사이 여러 채로 늘었다. 불경을 외는 낭랑한 소리도 들린다. 영시암 주위로는 선인들이 남긴 시문을 기록한 안내판이 여럿 보인다.

새로 지은 영시암의 현판을 보면 서체가 예사롭지 않다. 서예가로 유명한 여초 김응현의 글씨이다. 김응현이 바로 김창집의 후손이라고 하니 그 뜻을 알만하다. 여초 김응현은 2007년 타계할 때까지 10여 년 동안 인제군 북면 한계리에 집을 짓고 살았다. 이때 영시암 복원을 위한 기금도 희사했다고 한다.

수렴동에서 부르는 산 노래

수렴동 대피소와 봉정암

영시암에서 길은 두 갈래로 나뉜다. 왼쪽으로 접어들면 오세암으로 가는 길이다. 그대로 쭉 걸으면 수렴동 대피소가 나온다. 수렴동까지는 평탄한 길로 1.2km를 걷는다. 오세암은 산길로 접어들어 2.5km쯤 가야 한다. 숲길 산책이 목적이라면 수렴동 쪽이 낫다. 양쪽 모두 욕심을 낸다면 수렴동 대피소를 예약하고 하루쯤 묵어야 여유로운 일정이 나온다.

수렴동 대피소는 가야동 계곡과 구곡담계곡의 물이 합류하는 지점이다. 설악의 산줄기 곳곳에서 모여든 물은 수렴동 대피소 이후로는 폭이 넓어지면서 시원한 계곡미를 선사한다. 청옥을 녹인 듯한 물빛과 기묘한 바위, 울창한 수림이 어우러진 매혹적인 풍광이다.

물이 모이니 수렴(收斂)인가. 그렇게 오해하기 쉽다. 실은 수렴(水簾)이다. 물이 발처럼 드리웠다는 뜻이니, 바위에서 떨어지는 폭포의 모습을 아름답게 묘사한 작명이다. 대피소 위쪽 구곡담계곡은 폭포의

향연이다.

젊은 날 산에 빠져 지내던 시절에 설악은 최애의 산이었다. 여름 겨울에 등산학교 동기들과 야영을 하며 일주일씩 지내기도 했다. 특히 수렴동 대피소 주변에서 야영하며(그때는 가능했다.) 우쿨렐레와 하모니카 반주에 맞춰 산 노래를 부르던 추억은 잊을 수 없다. 그때 처음 '설악가'를 배웠다.

설악을 사랑하는 산꾼들의 정서를 담은 노래가 두 곡 있다. 한 곡은 '설악가'이고, 다른 곡은 '설악아, 잘 있거라'이다. 설악가는 중동고와 연세대 산악부에서 활동했던 이정훈 작사 · 작곡이다. 1969년 설악산에서 일어난 '10동지 조난사고'를 추모하는 애절한 정서를 담고 있다. 2절은 그의 후배 허재형의 작사로 좀 더 밝은 분위기를 이끌고 있다.

굽이져 흰 띠 두른 능선길 따라
달빛에 걸어가던 계곡의 여운을
내 어이 잊으리오 꿈같은 산행을
잘 있거라 설악아, 내 다시 오리니

저 멀리 능선 위에 철쭉꽃 필 적에
너와 나 다정하게 손잡고 갔던 길
내 어이 잊으리오 꿈같은 산행을
잘 있거라 설악아, 내 다시 오리니

'설악아, 잘 있거라' 역시 설악산의 정취가 듬뿍 묻어나는 애잔하고 매혹적인 노래이다. 이 노래 역시 비슷한 시기의 겨울 설악산에서 탄생했다고 한다. 김태호 작사, 정주영 작곡으로, 두 사람 모두 서울고 OB산악부에서 활동한 산악인이었다.

설악아, 잘 있거라, 내 또다시 네게 오마
포근한 네 품속을 어디 간들 잊으리오
철쭉꽃 붉게 피어 웃음 짓는데
아~ 아~~~ 나는 어이해 가야 하나

선녀봉 섧은 전설 속삭이는 토왕성아
밤이슬 함북 젖어 손짓하던 울산암아
나 항상 너를 반겨 여기 살고픈데
아~ 아~~~ 나는 또다시 네게 오마

오랜만에 수렴동 바위에 걸터앉으니 어디선가 하모니카 소리가 들리는 듯하다. 산꾼들에게 이 두 노래의 여운은 옛 선비들의 묵향 이상으로 가슴을 적신다. 젊은 날의 추억은 아련하고 애틋하다. 지금도 설악에 가면 화채능선이나 공룡능선을 바라보며 조그맣게 노래를 불러보곤 한다. 아스라한 날들의 빛이여.

이제는 대청봉이나 능선 산행이 버겁다. 천불동계곡으로 오르면 희운각까지만 갔다가 내려온다. 백담계곡으로 가면 수렴동 대피소나 오세암 정도가 무난하다. 새삼 생각하노니, 산은 높이나 속도가 아니다. 느리게 걸으며 하늘도 바라보고 시도 떠올리고 생각도 정리하는 산책

같은 산행이 참 좋다. 수렴동 계곡은 아름다운 추억마저 소환하는, 내게는 축복 같은 길이다.

수렴동 대피소는 원래 한 개인이 관리하던 산장에서 출발했다. 산장지기 이경수 씨를 기억하는 사람이라면 오래된 산꾼에 속한다. 그는 여러 일화와 기행으로 설악산의 전설이 된 인물이다. 산장은 귀틀집에 너와 지붕이었는데, 2008년 국립공원관리공단이 인수해 헐어내고 새 건물을 지었다. 왜 아름다운 것들은 하나씩 사라져 가는가. 산장과 사람 모두 그립다.

대피소에서 왼쪽으로 가면 가야동 계곡을 지나 희운각 대피소에 이른다. 지금은 폐쇄 구간이다. 오른쪽은 구곡담계곡을 지나 봉정암으로 오르는 길이다. 본격적인 등산이 펼쳐진다. 특히 마지막 5백 미터 정도는 숨이 턱에 차는 깔딱고개로 유명하다. 요즘은 '해탈 고개'로 고쳐 부르는 모양이다. 그래도 한 번 도전해볼 만하다. 구곡담계곡에서 잇따라 만나는 폭포와 이제껏 보이지 않던 용아장성의 빼어난 능선이 그 모든 수고를 보상한다.

구곡담계곡은 설악의 상봉들인 중청과 끝청 사이 청봉골의 물줄기를 모아 수렴동 계곡으로 전달한다. 이 물이 결국 소양강이 되고 북한강이 되고 민족의 젖줄인 한강으로 흘러든다. 봉정암까지 가는 길에 여러 개의 담(潭)과 폭포가 시원한 청량감을 선사한다. 만수폭포, 용손폭포, 관음폭포, 쌍용폭포가 차례로 나온다.

자연의 비경 앞에서 언어는 늘 실패한다. 설악의 풍광에 감탄하면서도 말과 글로는 옮길 능력이 없다. 그럴 땐 옛 선인의 문장으로 도피하곤 한다. 배낭 속에서 책을 꺼냈다. 「설악기」에 나타난 양양부사 정범조의 묘사가 뛰어나다. 그는 1779년 봉정암에서 수렴동 쪽으로 내려오며 감상을 기록했다.

> 좌우측 산들은 모두 기이한 봉우리들로 숲의 나무 위로 번갈아 가며 솟아났고, 물은 뒤쪽 고개에서부터 흘러와 골짝을 두루 덮으며 아래로 내려가고 있었다. 골짝이 온통 돌이고, 맑고 밝기가 마치 눈과 같았는데, 물이 그 위를 덮어 흐르고 바위 모양이 솟았다가 엎드리고, 우묵 파였다가 불룩 튀어나오고, 널찍하다가 좁아지기도 했는데, 물이 그렇게 만든 것이었다. 대략 폭포를 이룬 것이 열 몇 개였는데 쌍폭이 특히 기이하였다. 못이 되기도 하고 보가 되기도 하며, 넘쳐흐르기도 하는 것을 이루 다 헤아릴 수 없었는데, '수렴'이라고 불리는 것이 가장 기이하였다.
>
> **_국립수목원, 『국역 유산기』**

봉정암은 내설악 백담사에 속한 암자로, 부처님 진신사리를 모신 5대 적멸보궁의 하나이다. 해발 1,244m로 설악산의 절집 가운데 가장 높다. 신라 자장율사가 창건했다는 천년 고찰이지만, 전쟁 때 모두 불타고 새로 지었다.

내설악의 뼈대를 이루는 용아장성의 암봉이 병풍처럼 봉정암을 감싸고 있다. 속세의 풍진이 넘어오지 못하도록 지켜선 수문장 같다. 기도하고 불공드리는 곳이지만 풍광이 너무 빼어나 하루쯤 머물고 싶어

진다. 중심은 청기와를 얹은 적멸보궁이다. 정면의 통유리를 통해 산의 고요와 장엄이 그대로 법당 안으로 들어온다. 배낭 메고 온 나그네마저도 108배를 드리고 싶은 마음이 든다.

적멸보궁에는 불상을 두지 않는다고 한다. 진신사리를 모셨으니 따로 불상을 모실 필요가 없다는 의미이다. 봉정암 오른쪽 암벽 뒤로 산정에 오르면 5층 석탑이 보인다. 부처님의 뇌사리를 모셨다는 불뇌사리보탑(佛腦舍利寶塔)이다. 2014년 문화재청이 보물로 지정하면서 '인제 봉정암 오층석탑'으로 명명했다.

봉정암 사리탑은 용아장성의 끝자락이다. 용아장성은 수렴동 대피소에서 봉정암까지 5km쯤 이어지는 능선이다. 용의 이빨처럼 날카로

운 봉우리가 성곽처럼 늘어서 있다고 해서 붙은 이름이다. 선인들의 기록에는 등장하지 않는 걸로 보아 나중에 생긴 이름이다. 2013년 명승으로 지정됐다. 산꾼들의 호승심을 자아낼 만큼 설악 최고난도를 자랑하지만, 비법정 탐방로라 출입이 금지돼 있다.

점심 무렵 봉정암에 도착했다면 행운이 기다릴지 모른다. 나그네의 허기진 배를 채워줄 공양 나눔이 있다고 한다. 주먹밥이나 미역국을 먹었다는 체험담이 많다. 천하제일경에 어울리는 넉넉한 인심이다. 이 높은 곳까지 식재료를 가져와 조리하고 나누고 설거지하는 사람들의 마음이 아득히 높아 보인다. 사람이 꽃보다 아름답다.

봉정암 가는 길은 백담사에서 출발해도 10km가 넘는다. 걸음으로 기도하는 길이다. 그대로 이미 구도이고 순례인 길이다. 오체투지 하는 마음으로 한 걸음씩 옮긴다. 등산객도 오르고 불자들도 오른다. 수험생 학부모도 있고 업장 소멸을 빌며 떠도는 순례자도 있다. 언젠가 머리에 수박을 인 채 불공드리러 가던 할머니를 만난 적도 있다. 한여름의 더위 속에서 조심조심 걸음을 내딛던 그 모습이 뇌리에 오래 남았다. 걸음 그 자체가 이미 기도이고 공덕이고 보시인 경지였다. 뒤늦게 생각해보니 그날 내가 본 모습은 혹시 복덕과 지혜의 상징인 문수보살이 아니었을까.

오세암과 만경대

새삼 생각건대, 산은 도피와 은둔의 땅인가. 정쟁에 쫓기고 세상에 염증 난 사람들이 주로 산으로 갔다. 도시와 들판에서 밀려난 이들이 쫓기듯 산으로 스며들었다. 권력투쟁의 패자들, 죄짓고 도망친 이들, 도참과 비술을 믿는 기인이사들이 산으로 숨었다. 기름진 벌판에 땅 한 뙈기 없는 백성이 산에서 화전을 일궜다. 산은 그 모두를 말없이 품어주고 다독이며 먹여 살렸다. 그 입산이 은둔으로 끝나지 않고 변혁과 개벽의 사상을 잉태하고 역사를 바꾸는 실마리가 되기도 했다.

역사는 늘 권력 싸움이었다. 이 땅의 정치가 순하고 편안했던 적은 별로 없다. 역사가 꿈틀거릴 때마다 한 줌 권력을 놓고 다툼을 벌였다. 당쟁과 사화가 반복됐고 무슨 환국(換局)이 춤을 췄다. 그때마다 움켜쥔 자와 빼앗긴 자의 운명이 엇갈렸다. 승자는 관직과 재물을 차지하고, 패자는 죽거나 유배당했다. 지금이라고 크게 다를까.

우리 역사에서 남도의 여러 섬이 유배의 땅이었다면, 강원도는 은거

의 땅이었다. 세상에 실망하고 현실에 좌절한 이들이 스스로 몸을 숨겼다. 산수가 아름다운 곳에서 학문과 수양에 힘쓰며 때를 기다렸다. 그 '때'가 끝내 오지 않고 끝났다 해도 그 삶에는 고고와 청정의 기품이 서려 있다. 매월당 김시습이나 삼연 김창흡은 강원도 인제에서 심신을 다스린 대표적인 인물이다. 신라 부흥을 도모했던 마의태자나 조선 최고의 무사 백동수도 인제 땅에서 새로운 세상을 꿈꿨다.

영시암에서 오세암 쪽으로 접어들었다. 이 길은 매월당 김시습이 밟았고, 만해 한용운이 걸었던 길이다. 두 분 다 탁월한 문인이니 이 산길 곳곳에 문향이 배어있다. 매월당은 세조의 왕위 찬탈을 보게 되자 분연히 책을 불태우고 벼슬길을 포기했다. 스물한 살이던 1445년 오세암에서 불교에 입문한 뒤 전국을 떠도는 저항의 지식인이자 고독한 방랑자로 살았다.

그는 세 살에 한문을 익히고 다섯 살 때 한시를 지어 세상을 놀라게 한 천재였다. 소문을 들은 세종이 대궐로 불러 시를 짓게 하고 선물을 내렸다는 일화가 있다. 이 일로 그는 '오세(五歲)'라는 호를 얻게 되었다.

매월당이 주로 절에 머물렀다 해도 수행과 선정을 추구한 본격적인 승려가 되려 했는지는 의문이다. 자유로운 지식인답게 유불선에 두루 관심을 보이며 무애와 방랑의 삶을 살지 않았을까. 실제로 오세암에는 매월당의 초상화 두 종류가 있었다고 한다. 하나는 유학자이고, 하나는 불자의 모습이다. 1779년에 오세암을 방문한 양양부사 정범조의 기록이다.

암자에는 초상화 두 점이 있었는데, 매월당을 유학자로 그려놓은 것과 불자로 그려둔 형상이었다. 나는 차마 떠나지 못하고 서성거리며 서글픈 느낌에 사로잡혔다. 공이 오세동(五歲童)이라고 자호하였으므로 이 암자의 이름이 된 것이다.

_국립수목원, 『국역 유산기』

매월당의 초상화가 지금도 오세암에 남아 있을까. 스님에게 문의하니 돌계단 위쪽을 가리킨다. '오세선원(五世禪院)'이라는 현판 아래 '오세동자가 성불한 곳'이라는 안내문이 붙어 있다. 선원은 참선 수행의 공간이니 들여다보기엔 조심스럽다. 매월당의 심경이 묻어나는 시 한 편을 저 아래 백담사에서 읽었다. 백담사에는 시를 돌에 새긴 시비가 여럿 있다. 찻집 농암실 뒤편의 시비에서 매월당의 시 '만의(萬意)'를 읽을 수 있다. 그 정취가 매우 쓸쓸해 가슴을 저민다.

萬意(만의)

萬壑千峯外(만학천봉외)

孤雲獨鳥還(고운독조환)

此年居是寺(차년거시사)

來歲向何山(내세향하산)

風息松窓靜(풍식송창정)

香銷禪室閑(향소선실한)

此生吾已斷(이생오이단)

棲迹水雲間(서적수운간)

저물 무렵
천 봉우리 만 골짜기 그 너머로
한 조각 구름 밑 새가 돌아오누나
올해는 이 절에서 지낸다지만
다음 해는 어느 산 향해 떠나갈꺼나
바람 자니 솔 그림자 창에 어리고
향 스러져 스님의 방 하도 고요해
진작에 이 세상 다 끊어버리니
내 발자취 물과 구름 사이 남아 있으리.

오세암은 신라 때 자장율사가 창건했다고 하는데 처음에는 관음암이었다가 나중에 오세암으로 바뀌었다. 그 작명의 유래를 두고 두 가지 설명이 섞여 있다. 하나는 매월당 김시습의 어린 시절 별호인 '오세신동'과 관련짓는 설이다. 다른 하나는 오세암에 전해오는 '오세 동자' 설화와 관련이 있다. 어느 것이 맞는지 굳이 따지고 싶지는 않다.

노산 이은상이 전하는 '무진자(無盡子)의 사적기(事蹟記)' 내용을 간추리면 이렇다. '고려 때 설정(雪頂) 조사가 오갈 데 없는 다섯 살 된 조카를 이 절에서 키웠다. 어느 해 겨울 영동(嶺東)에 다녀올 일이 있어 조카를 홀로 두고 떠났다. 다음날 돌아올 예정이었지만 엄청난 폭설을 만나 이듬해 봄에야 돌아올 수 있었다. 암자에 도착해 보니 죽은 줄만 알았던 조카가 방에서 관세음을 부르며 놀고 있었다. 조카가 말하기를, 자모(慈母)가 늘 와서 젖도 먹이고 밥도 먹여주었다고 했다. 얼마 뒤에 과연 한 젊은 부인이 관음봉에서 내려오더니 아이의 이마를 어루만지고는 푸른 새로 변해 날아갔다. 그래서 오세(五歲) 동자가 견성득도(見性得道)한 곳이라 하여 동국 제일 선원이라 하였다.' 이 설화는 정채봉의 아름다운 동화 『오세암』으로 변주되고, 극장용 애니메이션으로도 선보였다.

오세암은 만해 한용운이 수행하며 시상을 가다듬은 곳이기도 하다. 만해는 백담사에 있는 동안 부속 암자인 오세암에 자주 머물렀다. 1925년 8월 29일 밤 오세암에서 시집 『님의 침묵』을 최종 탈고했다. 만해가 좌선 중 진리를 깨우치고 오도송을 읊은 곳도 오세암이었다. 백담사 만해기념관의 연보에 따르면 1917년 12월 3일이다.

男兒到處是故鄕(남아도처시고향)
幾人長在客愁中(기인장재객수중)
一聲喝破三千界(일성갈파삼천계)
雪裡桃花片片紅(설리도화편편홍)

남아란 어디메나 고향인 것을
그 몇 사람 객수 중에 길이 갇혔나
한 마디 큰 소리 질러 삼천대천 세계 뒤흔드니
눈 속에 복사꽃 붉게 붉게 피네

선승으로서의 만해의 깊이를 보여주는 『십현담 주해』 역시 오세암의 산물이다. 『십현담』은 10세기 중국 선사의 저작인데, 매월당 김시습 또한 『십현담 요해』를 남겼으니 참으로 묘한 인연이다. 매월당과 만해는 오백 년의 시차를 두고 같은 장소에서 같은 책을 읽고 큰 깨달음에 이른 것으로 보인다. 만해는 책 서문에서 이렇게 말한다.

> 을축년 내가 오세암에서 여름을 지낼 때 우연히 『십현담』을 읽었다. 『십현담』은 동안상찰(同安常察) 선사가 지은 선화(禪話)이다. 글이 비록 평이하나 뜻이 심오하여 처음 배우는 사람은 그 유현한 뜻을 엿보기 어렵다. 원주(原註)가 있지만 누가 붙였는지 알 수 없다. 열경(悅卿)의 주석도 있는데, 열경은 매월(梅月) 김시습의 자(字)이다. 매월이 세상을 피하여 산에 들어가 중옷을 입고 오세암에 머물 때 지은 것이다. 두 주석이 각각 오묘함이 있어 원문의 뜻을 해석하는 데 충분하지만, 말 밖의 뜻에 이르러서는 나의 견해와 더러 같고 다른 바가 있었다. 대저, 매월에게는 지키고자 한 것이 있었으나 세상이 용납하지 않아 운림(雲林)에 낙척(落拓)한 몸이 되어, 때로는 원숭이와 같이 때로는 학과 같이 행세하였다. 끝내 당시 세상에 굴하지 않고, 스스로 천하만세에 결백하였으니, 그 뜻은 괴로운 것이었고 그 정은 슬픈 것이었다. 또 매월이 『십현담』을 주석하였던 곳이 오세암이고, 내가 열경의 주석을 읽었던 것도 오세암이다. 수백 년 뒤에 선인을 만나니 감회가 오히려 새롭다. 이에 『십현담』을 주해한다.

_한용운, 『십현담 주해』 서문, 서준섭 옮김

오세암에 서린 오백 년의 인연을 뒤로 하고 발길을 옮긴다. 오세암을 제대로 보려면 만경대에 올라야 한다. 오세암 남서쪽 봉우리를 말한다. 설악산에 만경대 또는 망경대로 불리는 봉우리가 모두 셋이다. 내설악, 외설악, 남설악에 각각 하나씩 있다. 모두 전망이 탁월하다고 해서 붙은 이름이다. 자연에 순위를 매길 수는 없지만, 오세암 뒤편의 만경대는 참으로 탄성을 자아낸다. 노산 이은상의 평을 그대로 옮기는 게 낫겠다.

> 올라서 오세암을 내려다보매, 진실로 오세암의 값을 알겠습니다. 전인(前人)이 다 이르되, 암자 터로는 조선 제일이라고. 과연 그 옳은 말임을 만경대 위에 올라서만 깨달을 수 있습니다. … 앞으로 갈 길만 없다면, 나는 여기서 종일 앉아 생각과 노래에 잠기고 싶습니다마는, 길이 바쁘매, 햇살이 많이 퍼짐을 두려워할 수밖에 없음이 실로 이 자연을 대하여 죄송하고 불안함이라 하겠습니다.
>
> _이은상, 「설악행각」

만경대에 서면 왼쪽으로는 오세암의 풍경이 마치 드론 촬영 영상처럼 시야에 들어온다. 과연 '조선 제일'이라는 표현 그대로다. 관음보살의 품처럼 아늑하고 포근해 보인다. 오른쪽으로는 가야동계곡의 관문인 천왕문이 손짓한다. 고개를 들면 공룡능선과 서북능선, 용아장성,

설악 최고인 소청, 중청, 대청봉이 파노라마처럼 펼쳐진다. 언어가 또 한 번 실패한다. 묘사를 잊고 감탄도 잊고 그저 멍하니 바라본다. 매월당과 만해 역시 오백 년의 시차를 두고 이 장쾌한 경관을 바라보며 찬탄했을 것이다. 안타깝게도 지금은 출입을 통제하는 구역이다.

눈과 바람과 추위가 만드는 명품

황태마을

고독한 숲길도 좋지만, 때로는 사람 사는 마을을 지나는 길도 정겹다. 덕장에 명태가 주렁주렁 걸린 모습은 인제를 대표하는 겨울 풍경의 하나이다. 백담마을 가평교를 건너 왼쪽으로 접어들면 황태마을 덕장이 시작된다. 여기서부터 매바위 인공폭포가 있는 용대 삼거리까지 4km쯤 걸으면서 황태덕장과 잇따라 만난다.

인제군 북면 용대3리 일대는 국내 최대의 황태 산지이다. 이 마을 덕장에서 국내 황태 생산량의 70% 이상을 출하하고 있다. 북천을 따라 흐르는 매서운 찬바람이 일등 공신이다. 명태는 밤새 꽁꽁 얼었다가 한낮에 녹기를 반복하면서 고품질 황태로 숙성된다. 보슬보슬 부풀어 오른 황금빛 속살과 향을 지녀야 최상품이다.

용대리 황태는 맛과 품질에서 국내 최고로 친다. 이만한 자연조건이 없는 탓이다. 진부령이나 동해안의 덕장에서도 우수한 황태가 생산된다. 그해 겨울의 기상 여건이 특히 중요하다. 자연은 눈과 바람과 추위

로 황태의 맛을 결정한다. 모든 일이 그렇듯이 결과는 인간의 정성과 하늘의 도움에 달렸다. 수십 번의 손길과 최적의 날씨가 만났을 때 명품 황태가 탄생한다.

처마 끝에 명태를 말린다
명태는 꽁꽁 얼었다
명태는 길다랗고 파리한 물고긴데

꼬리에 길다란 고드름이 달렸다
해는 저물고 날은 다 가고 별은 서러웁게 차갑다
나도 길다랗고 파리한 명태다
문턱에 꽁꽁 얼어서
가슴에 길다란 고드름이 달렸다
_백석, 멧새소리

대학생이던 어느 해 겨울, 바닷가 친구네 집에 놀러 갔다가 덕장 일을 며칠 거들었다. 일꾼들은 겨우내 덕장에서 숙식하며 일했다. 새벽에 배가 들어오자 비상이 걸렸다. 항구에서 생선을 받아 배를 가르고 내장을 빼내는 작업이 시작이다. 덕장으로 운반해 물에 씻고 두 마리씩 코를 꿰는 작업이 이어진다. 덕에 거는 작업을 덕걸이 또는 상덕이라 한다. 서로 닿지 않고 바람이 잘 통하도록 걸어야 한다. 만일 날씨가 안 좋아 비라도 내리면 한밤중이라도 가려줘야 한다. 눈이 쌓이면 털어내 줘야 한다. 건조 상태를 봐가며 햇빛과 바람에 고루 노출되도록 뒤집어 주기도 한다. 이런 작업을 4인 1조의 팀으로 했는데 노동 강도가 만만찮았다. 그렇게 봄까지 꼬박 일하면 그때 돈으로 천만 원 넘는 돈을 만진다고 했다. 등록금이라도 벌어볼까 했지만, 풋내기 대학생을 끼워줄 팀은 없었다. 항구의 할복 작업 중에 연탄불을 피워두고 생선 내장을 구워 먹기도 했다. 명태는 버릴 게 없다. 내장으론 창난젓을 만들고, 알은 명란젓이 된다. 아가미도 절였다가 깍두기 재료로 쓴다.

명태의 이름이 그렇게나 많다는 것을 그때 처음 알았다. 생태, 동태, 명태, 북어, 황태 정도는 알고 있었다. 그 외에도 지방태, 원양태, 백태, 흑태, 먹태, 노랑태 등 수십 가지 이름으로 구분했다. 북어는 건태라고도 했다. 동태는 겨울에 잡아 얼렸다는 뜻이다. 가을 명태는 추태, 봄 명태는 춘태가 된다. 알밴 놈은 난태이고 새끼는 애태라 했다. 노가리는 말린 새끼이고, 코다리는 반쯤 말린 것이다. 낙태나 파태, 깡태는 불량품이다. 대충 기억나는 것만 이 정도이다.

요즘 덕장 풍경은 많이 달라졌다. 우선 국내산 명태가 거의 잡히지 않는다. 대부분 러시아산 냉동 명태를 들여와 작업한다. 분업화가 이뤄지면서 동태를 깨끗하게 손질하는 과정은 동해안에서 주로 이뤄진다. 용대리 덕장은 명태를 들여와 황태로 만드는 과정을 관리한다.

12월 어느 날 이 길을 걷다가 길옆의 한 덕장에 들렀다. 아직 덕이 텅 비어있었다. "영하 15도는 돼야 덕에 겁니다. 명태는 거는 즉시 꽁꽁 얼어야 합니다. 날이 따듯하면 물이 빠지면서 양분도 맛도 같이 빠져나가죠." 덕장 주인 최○○ 씨의 설명이다. "강추위가 적어도 두 달은 지속돼야 질 좋은 황태가 나옵니다." 보통 12월 말은 돼야 덕에 건다고 했다. 2월 말이나 3월 초까지 말린 뒤 걷어서 머리 부분에 구멍을 뚫고 싸리로 꿴다. 관태라고 한다. 그때부터는 섭씨 10도가량의 저온 창고에 보관한다. 이후 포 뜨고, 채 뜯고, 뼈를 발라내고, 상품으로 포장해 출하하는 과정이 기다리고 있다.

찬물을 좋아하는 명태는 십여 년 전부터 동해의 수온이 올라갔는지 북쪽 바다로 옮겨갔다. 원래부터 명태는 함경도 원산의 특산물이었다. 용대리의 덕장은 한국전쟁 이후에 하나씩 생겼다. 함경도 출신 월남민이 시작한 덕장이 최초로 알려졌다. 북한이 고향인 양명문 시인은 명태를 소재로 재미있고 독특한 시를 썼다. 이 시는 작곡가 변훈이 곡을

붙이고, 성악가 오현명이 노래해 크게 사랑받는 가곡이 되었다. 시도 노래도 절창이다.

> 어떤 외롭고 가난한 시인이
> 밤늦게 시를 쓰다가 쇠주를 마실 때
> 그의 안주가 되어도 좋고
> 그의 시가 되어도 좋다.
>
> **_양명문, 명태(부분)**

용대리는 바람의 마을이다. 마을 뒷산에 풍력발전소가 들어섰다. 바람개비가 쉬지 않고 돌고 있다. 계속 걷다 보면 인공폭포가 있는 매바위가 보인다. 진부령과 미시령 가는 길이 갈라지는 용대 삼거리이다. 이 부근에 황태 판매점과 황태요리 식당이 여럿 있다. 매바위는 여름에는 시원한 폭포로 청량감을 주고, 겨울엔 빙벽 클라이밍 무대로 각광받는다. 매바위 앞에 버스 정류소가 있다. 인제 터미널과 진부령 사이를 오가는 마을버스가 정차한다.

사람도 생선도 혹한을 견디며 겨울을 난다. 한 번 더 담금질한 쇠가 그만큼 단단해지는 법이다. 명태는 입 벌린 채 덕에 매달려 묵묵히 증언한다. 한겨울에 눈을 뒤집어쓴 명태 수백만 마리가 걸린 덕장의 모습은 장관이다. 나그네에게는 이색적인 풍경이지만, 주민들에겐 고단하고 치열한 삶의 현장이다. 맵고 추운 겨울이 다가오고 있다. 지금은 텅 비어있는 저 덕에도 곧 명태가 가득 걸릴 것이다. 그때쯤 다시 한번 와야겠다.

금강산 새이령

'혼밥'이라는 단어는 아직 사전에 없는 말이다. 머지않아 국어사전에 오르지 않을까 싶다. '혼술'도 강력한 후보다. '혼'이라는 접두어를 붙여 놓고 보니 찰떡궁합처럼 잘 어울린다. 시대의 풍속을 드러내는 단어로써 충분한 자격이 있다. 그만큼 홀로 먹고, 홀로 마시며, 홀로 즐기는 사람이 많기 때문이다. 요즘엔 혼영(영화)이나 혼행(여행)도 별 게 아니다.

고백하건대, 나는 이런 현상이 반갑다. 내 천성의 깊숙한 곳에 다른 사람과 잘 어울리지 못하는 '홀로' 성향이 있기 때문이다. 예전엔 애써 감추고 어울리려고 노력했다. 그러다 보니 세상은 늘 나에게 맞지 않는 옷처럼 불편했다. 이제는 그럴 필요가 없다. 세상은 혼밥족이니 혼술족이니 하며 그들의 존재를 수긍하고 있다. 특히 코로나(COVID-19) 확산이 한 몫 거들었다. 오랫동안 아무도 안 만나도 그리 이상하게 보지 않았다. 남몰래 코로나에 감사했다.

나는 요즘 '혼산'을 즐긴다. 홀로 하는 산행이다. 사실 오래 만나온 정겨운 벗들과의 산행이 여전히 좋기는 하다. 그러나 계획을 세우고, 시간과 장소를 정하고, 서로 약속을 지켜야 하는 일이 갈수록 버거운 과제가 되었다. 내 연약해진 심신은 그 정도의 하중에도 힘겨워한다. 퇴직 이후 웬만하면 약속이나 계획 없는 삶을 살고 싶었다. 아침에 눈을 뜨면, 그날의 기분에 따라 불쑥 산을 찾는다. 하루가 지루해지면 오후 느지막이 가까운 산에 오르기도 한다. 자연스레 혼산이 많아졌다.

새이령 숲길을 홀로 걸으며 솔직히 좀 고독했다. 새벽에 눈 뜨고 나서야 문득 오늘 하루를 견뎌내기가 만만찮다는 생각이 떠올랐다. 오늘, 이 도시에서 나를 찾을 사람은 아무도 없다. 기다려줄 사람도 만나볼 사람도 없다. 꼭 해야 할 일도 없다. 어제도 그랬듯이. 세상은 나를 잊었다. 내가 세상에 무관심했으므로 당연한 결과이다. 내가 갈 곳은 저 멀리 산속뿐이다.

새이령은 강원도 인제와 고성을 잇는 고갯길이다. 태백산맥을 넘나드는 고갯길 중에 미시령보다 북쪽에 있고, 진부령보다는 남쪽에 있다. 두 고개 사이에 있다고 해서 새이령, 샛령으로 불렸다. 큰 새이령과 작은 새이령이 있다. 한문으로는 대간령(大間嶺), 소간령(小間嶺)이다. 문헌 자료에는 대간령으로 소개된 경우가 많지만, 새이령이 훨씬 정겹다.

백두대간을 넘는 고개이니 좀 험하겠지 하는 예상은 보기 좋게 빗나갔다. 적어도 인제군 북면 용대리 쪽에서 새이령까지 가는 길은 편안한 산책길이다. 좀 이상하지 않은가. 새이령의 높이를 확인해보니 641m이다. 등고선을 살펴보니 산행 출발점의 고도가 이미 400m를 넘는다. 고도차 200m 남짓을 길게 늘여서 걷는 셈이다.

예전에 이 길은 영동과 영서의 물자가 오가는 중요한 통로였다고 한다. 진부령(529m)은 너무 길고 지루했고, 미시령(826m)은 너무 높고 험했다. 속초 · 고성과 인제 · 원통의 등짐 봇짐장수들이 넘나들기에는 새이령이 훨씬 편했을 것이다.

숲길 산행은 용대3리에서 미시령 쪽으로 가다가 보이는 '박달나무쉼터'에서 시작한다. 여기서 작은 새이령과 마장터를 거쳐 큰 새이령까지 5km 남짓이다. 왕복 4시간이면 족하다. 길은 개울을 건너며 시작해 우거진 숲속을 걷는다. 이따금 물을 만나고 징검다리를 밟는다. 이 물이 북천으로 흐르다 인북천과 만나고 소양강이 된다.

작은 새이령과 큰 새이령 중간에 마장터가 있다. 오가던 지게꾼과 보부상이 쉬어가며 물물교환도 했던 장터라고 한다. 주막도 있고 민가도 여러 채 있었다는데 지금은 우거진 수풀뿐이다. 통나무 귀틀집 하나가 보였는데 주인은 만나지 못했다. 이따금 와서 머무는 별장처럼 보였다.

큰 새이령에는 몇 개의 돌탑이 있다. 여기서 내쳐 걸으면 고성군 토성면 도원리를 거쳐 아야진 앞바다에 이른다. 왼쪽(북쪽)은 마산봉(1,052m), 오른쪽(남쪽)은 신선봉(1,204m)이다. 마산봉은 백두대간 종주의 마지막 봉우리이다. 이 봉에서 진부령으로 내려서면서 종주가 끝난다.

신선봉과 마산봉은 금강산 줄기로 보기도 한다. 산의 족보를 정리한 『산경표』 등 옛 자료들은 대체로 미시령 북쪽을 금강산 자락으로 분류했다. 신선봉은 금강산 1만 2천봉의 남쪽 제1봉으로 꼽기도 한다. 신선

봉 기슭에 있는 화암사라는 절은 '금강산 화암사'라는 명칭을 쓴다. 이런 기준에 따르면 새이령도 금강산 새이령이다. 물론 현실적으로는 국립공원 설악산의 북쪽 경계선에 해당한다.

평일이라 그런지 사람이 별로 없다. 웬일인지 새소리도 잘 들리지 않는다. 고즈넉한 숲길을 느리게 걷다 보면 상념이 꼬리를 문다. 그래, 좀 고독하면 뭐 어떤가. 삶은 본래부터 고독한 것이다. 사람은 나이 들수록 고독과 친해지지 않으면 안 된다.

위로받고 싶은가. 부질없는 인간의 위로에 기대지 마라. 그들은 그저 제 삶 하나조차 버거워하는 가여운 존재들 아닌가. 차라리 라이너 마리아 릴케를 읽어라. 그처럼 진지하게 고독을 성찰한 작가를 나는 알지 못한다. 너, 외로운 사람이여. 저 깊숙한 곳에서 길어 올린 사유의 샘물로 목을 축이고, 진정한 고독을 향해 걸어가라.

> 당신의 고독을 사랑하십시오. 그리고 그 고독이 당신에게 가져다주는 고통을 견뎌 내어 아름다운 울림을 지닌 탄식으로 바꾸십시오. … 당신의 고독은 낯선 상황의 한가운데서도 당신에게 의지와 고향이 될 것입니다.
>
> _릴케, 『릴케의 편지』, 안문영 옮김

> 꼭 필요한 것은 다만 이것, 고독, 즉 위대한 내면의 고독뿐입니다. 자신의 내면으로 걸어 들어가 몇 시간이고 아무도 만나지 않는 것, 바로 이러한 상태에 이를 수 있도록 노력해야 합니다.

_릴케, 『젊은 시인에게 보내는 편지』, 김재혁 옮김

당신이 다른 사람들과의 유대감을 기대하기 힘들다면 사물들 쪽으로 접근해보십시오. 사물들은 당신을 버리지 않을 것입니다. 아직도 당신을 위한 순한 밤들과, 나무들 사이로 그리고 수많은 땅 위로 부는 바람이 있습니다. 아직도 사물들과 동물들은 당신이 관여할 만한 것들로 가득합니다.

_릴케, 김재혁 옮김

고독은 근본적으로 우리가 택하거나 버릴 수 있는 성격이 아님이 점점 더욱 뚜렷해집니다. 우리는 고독한 존재입니다. 우리는 마치 그렇지 않은 듯이 스스로를 속이고 행동할 뿐입니다. 그것이 전부입니다. 그러나 우리가 그러한 고독한 존재임을 깨닫고 바로 그러한 전제 아래서 시작하는 것이 훨씬 더 현명한 게 아닐까요?

_릴케, 김재혁 옮김

당신께 바랄 것이 있다면 다만, 큰 믿음과 끈질긴 인내심을 가지고 그 웅장한 고독이 당신에게 작용하도록 내버려두라는 것뿐입니다. 이제 그 고독은 아무리 몰아붙여도 당신에게서 결코 떨어져나가지 않을 것입니다. 그 고독은 앞으로 당신이 체험하고 행할 모든 것들 속에 익명의 영향력이 되어 계속해서 그리고 묵묵히 결정적으로 작용할 것입니다.

릴케, 김재혁 옮김

릴케의 편지를 배낭에 넣고 다시 걸었다. 가난한 영혼은 아무도 손 내미는 이 없는 고독한 숲을 걷는다. 새이령에서 마산봉을 거쳐 진부령으로 하산했다. 자, 이제 인간의 세상으로 돌아가야 한다. 하루의 고독한 산행으로 얼마큼의 기운을 얻었으니 또 며칠은 견딜 수 있겠지. 혼자만의 고독이 아니다. 다들 그렇게 살다 가는 인생이다.

이천오백만 년 후 다시 만날 수 있을까

은비령과 필례계곡

가을은 걷기 좋은 계절이다. 이 땅 산하의 매력은 계절마다 다른 색깔이지만, 특별히 가을의 매혹은 치명적이다. 맑은 하늘과 투명한 햇살, 아름다운 단풍이 합세해 거부할 수 없는 유혹을 흩뿌린다. 산자수려의 땅 인제에는 빼어난 단풍 명소가 많다. 널리 알려진 코스로는 단연 내설악 백담계곡을 꼽을만하다. 그런데 소문난 곳일수록 인파가 몰린다. 백담사 입구 용대리에서 백담사까지 운행하는 셔틀버스를 타기 위해 한 시간씩 기다려야 하는 경우도 생긴다.

만산홍엽의 단풍을 즐기면서도 인파는 피하고 싶을 때 찾는 곳 중 하나가 은비령이다. 인제읍에서 31번 국도를 따라 내린천을 거슬러 오르다가 하추자연휴양림 쪽으로 접어든다. 휴양림을 지나 필례약수 이정표를 보고 가다 보면 군량교라는 다리가 나온다. 다리를 지나쳐 조금 더 오르면 주차할 만한 공간이 있다. 필례계곡과 은비령 걷기는 이 부근에서 시작하면 좋다. 여기서부터 필례약수터까지 2km 남짓한 길이 수수하고 소박한 가을의 운치를 담고 있다. 길은 포장도로 옆 소로를 따라가다가 숲을 지나고 내를 건너며 약수터까지 이어진다.

10월 말의 어느 평일에 P 선생님 부부와 함께 이 길을 걸었다. 은비령을 향해 오르는 길이지만 경사가 별로 느껴지지 않는다. 노랗고 빨갛게 물든 단풍이 햇살을 받아 눈부시게 빛난다. 낙엽을 떨군 가지들은 또 그대로의 모습으로 깊어 가는 가을의 정취를 발산한다. 앙상한 가지에 매달린 이파리와 몇 알의 열매들은 가을 산하의 치명적 아름다움이다.

단풍잎은 빨갛고 은행잎은 노랗게 물든다. 언제부턴가 그 강렬함이 부담스럽다. 스러져가는 햇빛 속에서 은은하게 빛나는 연녹색이나 연갈색의 잎이 마음을 끌어당긴다. 누가 저들을 잡목이라 했는가. 단풍은 홀로 있을 때보다 잡목들과 어울려 있을 때 더 아름답다. 저 갈잎의 군단이 빚어내는 수수함이 가을 산하를 물들인다. 짧은 가을을 아쉬워하지 않고 미련 없이 잎을 떨군다. 단풍도 은행도 갈잎도 마침내 흙으로 돌아간다.

돌다리를 밟으며 계곡을 몇 번 건넌다. 물가에 앉아 커피를 마시며 한 번 쉬었는데도 한 시간 반 정도에 약수터 입구에 도착했다. 여기가 포토존인 단풍 터널이다. 약수터로 오르는 길 양쪽으로 단풍이 우거져 하늘이 보이지 않는다.

은비령은 강원도 양양군 오색지구와 인제군 인제읍 귀둔리를 잇는 고갯길이다. 원래는 필례령으로 불렸고, 대동여지도에는 필노령으로 기록되어 있다. 양양에서 구운 소금과 말린 생선 등을 걸머멘 등짐 · 봇짐장수들이 이 고개를 넘나들었다. 인제에서는 주로 곡식, 나물, 버섯 등으로 바꿨다고 한다. 강릉 출신 작가 이순원이 1996년 이 고개를 무대로 하는 중편소설 「은비령」을 발표했다. 그때부터 이 예쁜 이름이 인기를 얻으면서 이제는 검색 지도에도 나오는 공식 지명으로 굳어졌다. 은비령은 한계령과 가까우면서도 살짝 숨어 있어 일부러 찾아가지 않으면 발견하기 어렵다. 작가는 이 숨은 고개를 자주 넘어 다녔다고 말한다.

> 96년 겨울에 발표한 소설 「은비령」은 한계령 바로 아래서 다시 인제로 돌아가는 샛길. 강릉에 들렀다가 다시 서울로 갈 때마다 다니던 길로 내가 이름을 붙였다. 원래 군용도로로 비포장이던 이 길이 최근 포장이 되면서 전보다 다니기가 훨씬 수월해졌다. 인제로 가는 중간쯤에 영화 「태백산맥」의 촬영지이기도 했던 필례약수터가 있다. 시원한 한 모금의 약수와 가슴에 각인된 소박한 은비령 단풍은 한겨울 내내 삶의 활력소가 돼준다.
>
> **_경향신문, 1998.10.14.**

소설 「은비령」은 죽은 친구의 부인과 별거 중인 남자 사이에 이루어지는 중년의 사랑을 다루고 있다. 두 사람은 서로에게 끌리면서도 죽은 친구와 남편에 대한 심적 부담에 가로막혀 안타까워한다. 남자는 부담을 떨쳐내기 위해 길을 떠나는데, 처음엔 서해 격포로 가려다가 눈 소식을 듣고 은비령으로 향한다. 그러나 은비령에서 차가 고장 나고, 다음 날 뒤쫓아온 여자와 만난다. 그들은 밤 산책을 나왔다가 별을

관측하는 남자로부터 2천 5백만 년 주기로 되풀이되는 만남에 대한 이야기를 듣는다. 다음날 여자는 2천 5백만 년 후의 만남을 기약하며 혼자 떠난다. 은비령 걷기는 소설의 무대를 찾아가는 문학기행이기도 하다. 소설의 첫대목은 주인공 남자의 회상으로 시작한다.

> 왜 하필이면 길을 바꾸어 떠난 곳이 지도에도 나오지 않는 은비령이었을까. 바다로 가는 길을 눈을 보러 가는 길로 바꾸고, 눈을 보러 가선 또 별을 가슴에 담고 돌아온 그 여행길을 어떻게 설명할 수 있을까. 별처럼 여자는 2천 5백만 년 후 다시 내게로 오겠다고 했다. 나도 같은 약속을 여자에게 했다. 벗어나면 아득해도 은비령에서 그것은 긴 시간이 아니었다. 어쩌면 그때 은비령 너머의 세상은 깜깜하게 멈추어 서고, 나는 2천 5백만 년보다 더 긴 시간을 그곳에 있었던 것인지도 모른다. 아니, 그보다 이제 겨우 다섯 달이 지난 2천 5백만 년 후 우리는 그 약속을 지킬 수 있을까.

현실의 은비령은 시간이 멈춘 곳처럼 느껴진다. 약수터는 폐쇄됐고, 주변의 상가 몇 채는 쓸쓸하다. 가을 단풍을 즐기러 온 사람들은 사진 몇 장을 찍고는 이내 떠난다. 캠핑족이 쳐놓은 텐트 몇 채가 덩그러니 남았다. 별장처럼 잘 지은 집 마당엔 낙엽이 흩날렸다. 진돗개 한 마리가 꼬리를 흔들 뿐 마을은 적막하다. 빨갛게 익은 마가목 열매가 밭두렁에서 홀로 가을 햇살을 즐기고 있다. 내년 가을에 와도 똑같은 모습을 보게 될 것이다. 소설 속의 계절은 한겨울이다. 은비령은 은비령(隱秘嶺)으로 소개된다.

> 그 샛길을 은비령(隱秘嶺) 이라고 이름 붙인 건 나와 그였다. 그가 죽은 다음인 지금도 그 샛길의 이름을 은비령으로 알고 있는 사람은 나와 여자밖에 없었다. … 처음엔 은자령(隱者嶺)이라고 불렀다. 은자가 사는 땅. 그러다 그보다 더 신비롭게 깊이 감춰진 땅이라는 이름으로 은비령이라고 불렀다.

소설 속 두 친구는 오래전 고시 공부를 위해 은비령에 머물렀다. 그때 은비령의 아름다움에 취해 함께 은비팔경(隱秘八景)을 꼽는다. 은비령의 눈 내리는 풍경을 은비은비(隱秘銀飛)라 했다. 은비령을 품고 있는 가리산의 가을 단풍은 가리추단(佳里秋丹)이다. 맨눈으로도 밤하늘의 은하수를 볼 수 있는 은궁성라(銀宮星羅)도 있다. '은비은비'는 단풍과 낙엽이 흩날리는 이 가을의 풍경에도 잘 어울린다. 안타까운 사랑은 안타까운 이별로 끝난다.

> 그날 밤, 은비령엔 아직 녹다 남은 눈이 날리고 나는 2천 5백만 년 전의 생애에도 그랬고 이 생애에도 다시 비껴 지나가는 별을 내 가슴에 묻었다. 서로의 가슴에 별이 되어 묻고 묻히는 동안 은비령의 칼바람처럼 거친 숨결 속에서도 우리는 이 생애가 길지 않듯 이제 우리가 앞으

로 기다려야 할 다음 생애까지의 시간도 길지 않을 것이라고 생각했다. … 별은 그렇게 어느 봄날 바람꽃처럼 내 곁으로 왔다가 이 세상에 없는 또 한 축을 따라 우주 속으로 고요히 흘러갔다.

중년의 사랑은 다루기 쉬운 주제가 아니다. 아무리 분장해도 불륜과 통속의 늪에서 헤어나기 어렵다. 「은비령」은 서정성과 아련한 우주의 신비를 매개로 그런 위험을 비켜 갔다. 작가는 어느 기고문에서 이렇게 말했다. "나는 우리 인간의 인연과 사랑도 저런 불멸의 시간과도 같은 우주의 한 질서로 파악하고 그런 운명과 인연과 사랑의 연속성에 대한 소설을 쓰고 싶었다." 작가는 현실의 은비령에 대한 애정도 드러냈다. "나는 이 땅에서 작가로서 내게 주어진 삶을 다하면 그곳 은비령으로 갈 것이다. 가족에게도 미리 말해 두었다. 가서 묻히는 것이 아니라 그곳에 뿌려져 그곳의 바람을 타고 이동하며 또 밤하늘을 바라보며 하쿠타케 혜성처럼 한번 떠난 다음 영원히 우리 곁으로 다시 돌아오지 않는 별을 기다릴 것이다." 작가는 이 작품으로 제42회 현대문학상을 받았다.

작품 발표 이후 약수터 입구에는 '은비령'이라는 카페도 생겼다. 필례약수는 지금은 수질이 나빠져 음용 부적합 판정을 받았다. 2015년 약수터 위쪽에 게르마늄 온천이 문을 열면서 새로운 명소로 자리 잡았다. 동네 목욕탕 정도로 작지만 연한 레몬 녹차 빛깔의 탄산수가 독특하다. 특히 한겨울에 눈 내리는 설산을 바라보며 즐기는 노천온천이 매력을 더한다.

필례 게르마늄 온천을 지나면 큰눈이고개로 가는 산길이 시작된다. 필례약수터까지 걷고 나서 마무리하기엔 좀 허전하다면 고갯마루까지 다녀올 수 있다. 왕복 3km쯤 된다. 은비령길은 (사)인제천리길(대표 김호진)이 선정한 명품 길의 하나이다. 그 길은 고개를 넘어 가리산리 방재체험마을로 이어진다. 경사가 좀 있는 편이라 쉽고 편한 길은 아니다. 차를 가져왔다면 큰눈이 고개에서 되돌아가는 게 좋다.

무사 백동수를 찾아서

기린면과 귀둔리

인제 읍내를 벗어나 기린면 현리 쪽으로 향했다. 31번 국도를 따라 내린천을 거슬러 오른다. 산과 물이 수려한 인제의 진면목을 보여주는 길이다. 굽이굽이 펼쳐지는 풍광이 시선을 빼앗는다. 내린천 하류는 급류와 소용돌이, 암석과 여울이 10km 이상 이어지는 구간이다. 국내 래프팅 명소 가운데 단연 최고로 꼽힌다. 수변공원 일대는 모험 레포츠의 성지가 되고 있다. 래프팅과 카누, 카약, 짚트랙 업체 수십 곳이 흩어져 있다. 국내 최초의 자동차 테마파크인 인제스피디움도 가까이 있다.

내린천을 따라 계속 오르면 기린면이다. 기린면은 방태산과 점봉산을 품고 있는 산촌이다. 두 산 사이로 내린천의 상류인 방태천이 흐른다. 면 소재지인 현리로 접어들 때쯤 기린면을 홍보하는 문구가 눈에 띈다. '백동수의 혼, 무사의 터, 기린면' "어라! 저게 뭐지." 조선의 검객 백동수가 기린 출신이었던가.

야뇌(野餒) 백동수(1743~1816)는 『무예도보통지(武藝圖譜通志)』를 저술한 불세출의 무사였다. 이 책은 임진왜란과 병자호란을 겪은 조선이 군사력 강화를 목적으로 편찬한 무술 교범이었다. 문무에 뛰어났던 정조가 직접 방향을 잡고, 이덕무와 박제가, 백동수가 실무 편찬을 맡았다. 당대의 무기와 무예를 집대성한 24가지 기예를 다루면서, 전투 동작 하나하나를 그림과 글로 해설한 실전 훈련서이다. 이덕무와 박제가는 문관이었으므로, 실질적인 무예 기법은 백동수가 주도했을 것이다.

저 '무사 백동수의 혼'을 어찌 기린면에서 만난단 말인가. 기린면은 무슨 근거로 백동수를 내세우는가. 백동수는 민족 고유의 검법은 물론 중국과 일본의 검술까지 두루 연구하고 섭렵한 조선 최고의 검객이었다. 서얼 출신이라 어울리는 관직에도 오르지 못한 채 굴곡의 삶을 살다 간 풍운아였다. 그 백동수가 기린면과 관계가 있다는 말일까.

백동수의 삶을 추적할 수 있는 자료는 많지 않다. 그는 보통 『무예도보통지』의 저자로서만 언급된다. 그것도 문관과 함께 이름을 올린 공동 저자일 뿐이다. 백동수에 관한 간접 자료는 그의 벗들인 연암 박지원과 박제가, 이덕무의 저술 속에 흩어져 있다.

백동수는 호기심을 자극하는 매혹적인 인물이다. 그 매력에 취해 그의 삶을 복원해 보려는 시도가 어찌 없었으랴. 소설 겸 전기라 할 수 있는 『조선의 협객 백동수』(푸른역사)가 대표적이다. 이 책은 한 무예인의 집념이 서린 작품이다. 저자 김영호는 무술 수련과 무예 연구에 평생을 바친 분이다. 무사 백동수에 관한 자료를 최대한 모아 소설 형식으로 펴냈다. 왜 하필 소설일까. 자료가 워낙 빈약해 온전한 전기나 실록으로 구성하기는 어려웠기 때문이리라. (참고로 모 방송의 드라마 '무사 백동수'는 완전한 허구이다. 백동수라는 인물만 빌려온 무협 드라마라고 해야 맞다.)

기린면 현리에 도착해 마을 곳곳을 기웃거렸다. 과연 무사 백동수의 흔적이라도 만날 수 있을까. 소설 한 권과 논문 두 편, 확보한 자료는 이게 전부였다.

기린면 일대는 조선시대에는 춘천도호부 춘주군의 속현으로 기린현으로 불렸다. 기린은 아프리카에 사는 목이 긴 짐승이 아니라 전설 속의 상서로운 동물을 가리킨다. 흔히 이마에 외뿔이 있고, 머리는 용, 몸은 사슴, 꼬리는 소, 발굽과 갈기는 말을 닮은 모습으로 묘사된다. 사슴이 100년을 묵으면 기린이 된다고 믿었다. 예로부터 봉황, 용, 거북과 함께 신성한 동물로 꼽았다. 몇 해 전 기린면 현리에 근린공원을 만들면서 처음으로 기린상을 만들어 세웠다.

이 공원에도 역시 '무사 백동수'를 내세운 글귀가 보인다. 그러나 그뿐이다. 백동수와 관련된 어떤 콘텐츠도 없다. 원래 공원 조성 당시에 인제군이 발표한 보도자료를 찾아보니, '무사 백동수를 스토리텔링 한 테마공원'을 만들겠다는 계획이었다. 그런데 막상 공원을 찾아가 보니 '무사 백동수'라고 쓴 기둥 하나가 전부다. 좀 무책임하다 싶을 정도이다. 역설적으로 그만큼 백동수와 관련된 흔적이나 자료가 없다는 고백이나 다름없다.

인제군청과 인제군문화재단에 문의했다. 군청 문화관광과 윤○준 님의 답변은 이렇다. "그분은 조선 후기에 10년이 채 안 되게 기린에 살았던 것으로 알고 있습니다. 현재 그분의 후손이나 일가의 거주 사실을 알려주는 집성촌이나 족보, 분묘 등 실증적인 자료들은 파악된 게 없습니다. 학술적인 연구를 통해 뭔가 구체적인 성과가 나오기 전에는 행정기관 차원에서 먼저 콘텐츠를 내세울 수는 없습니다." 인제군문화재단 소속 학예사의 답변도 비슷했다. "기린면이 넓고 넓은데, 대략 어디쯤 살았는지라도 알 수 있을까요." "네, 그런 자료를 본 적이 없네요."

요컨대 백동수가 잠시 기린에서 살았다는 기록 외에는 아무런 실질

적인 자료가 없다는 것이다. 좀 허망한 결론이다. '백동수의 혼'은 그냥 바람 속을 떠돌 뿐인가. '무사의 터'는 단순한 홍보문구였던가. 하긴 소설 속의 인물이나 무대마저 끌어다 축제를 열고 관광 상품으로 내세우는 지자체가 여럿임을 감안하면, 인제군의 저런 입장은 대단히 양심적이라고 해야 할까. 차라리 '백동수 배(杯) 전국무예대전' 같은 체육 행사를 기획했다면 어땠을까.

그래도 의문은 남는다. 한양에서 태어나고 자란 백동수는 왜 식솔을 데리고 기린으로 은거해야만 했을까. 그리고 하고많은 고을 중에서 왜 이 궁벽한 기린이었단 말인가. 또 한양으로 되돌아간 계기는 무엇이었을까.

강원대학교 김풍기 교수의 논문 「백동수의 생애와 그의 시대」는 그 궁금증을 풀어가는 데 어느 정도 도움을 준다. 이 논문 역시 김영호의 소설 속 서술을 몇 차례 인용한다. 김영호의 자료 수집과 분석이 그만큼 충실하다는 의미로 읽힌다.

백동수는 무과에 급제한 뒤 무인들의 꽃으로 불릴 만한 선전관에 추천되지만, 그 직임을 맡지 못한다. 당시 정조의 분노를 산 어떤 사건의 여파였다. 이 일로 백동수는 공직의 꿈을 버린 것으로 보인다. 서얼 출신의 무인에게 열려 있는 거의 유일한 벼슬자리가 막혔으니 다른 길을 찾아야 했다. 그것이 바로 강원도 인제 기린협(麒麟峽)으로 은거하는 일이었다. 당시 박지원과 박제가는 백동수와의 이별을 앞두고 안타까운 마음을 토로한 글을 남겼다.

오호라! 영숙이여! 거기서는 또 무슨 일을 하렵니까? 한

> 해가 저물어가면 싸라기눈이 흩뿌리고, 산중이 깊은지라 여우 · 토끼가 살져 있으리니 활을 당기고 말을 달려 한 발에 맞춰 잡고, 안장에 비껴 앉아 한바탕 웃음을 터뜨린다면, 악착같던 의지도 속 시원히 풀리고, 고독한 처지도 잊히지 않을까요? … 영숙이여! 떠나십시오! 저는 지난날 궁핍 속에서 벗의 도리를 깨달았습니다. 그렇지만 영숙과 제 사이가 어찌 궁핍한 날의 벗에 불과하겠습니까?
>
> **_박제가, 안대회 옮김**

백동수는 1773년부터 1780년까지 햇수로 8년 동안 기린에 머물렀다. 1743년생이니 30대의 대부분을 기린에서 보낸 셈이다. 기린에서는 주로 농사와 목축을 했던 것으로 보인다. 한편으로는 체력을 기르고 무예를 수련하며 언젠가 세상에 나아가 뜻을 펼칠 날에 대비했다.

> 결국 백동수가 선택한 기린은 속세인들의 발길이 닿지 않는 심심산골의 의미만 가지는 것이 아니다. 그곳은 백동수라는 개인이 절망 끝에 선택한 땅이 아니라 구속과 정쟁으로 가득한 세상을 벗어나서 모든 인간이 자유롭게 살아갈 수 있는 새로운 이상향으로서의 의미를 가지는 곳이다. 농사일을 통해서 백성을 사랑하는 마음을 가다듬고, 무예 수련을 통해서 최고의 무사가 되기 위한 능력을 쌓으며, 사냥을 통해서 실전 감각을 잊지 않는 등 백동수의 기린 생활은 조선 최고의 무사를 만들어낸 산실

이었다. …

… 그런 점에서 본다면 백동수에게 있어서 인제 기린협이야말로 세상의 모든 구속과 불평등을 벗어나 새로운 사회를 건설할 수 있는 희망의 땅이었으며, 그가 조선 최고의 무사로서 세상의 인정을 받을 수 있는 힘을 기르게 해 준 약속의 땅이었다. 세상에서 가장 멀리 떨어진 곳이었지만 동시에 세상의 모든 정보가 집약되었던 곳이며, 인적 없는 궁벽한 산골이었지만 동시에 세상의 어떤 존재도 편견 없이 받아들일 수 있었던 곳이었다. 무사가 천대받던 사회에서 백동수의 기린협은 무예를 통해서 당대의 새로운 지성을 탄생시킨 소중한 곳이라 하겠다.

_김풍기, 「백동수의 생애와 그의 시대」

백동수의 기다림은 마침내 결실을 맺는다. 한양으로 돌아온 뒤 선전관에 임명되고, 정조가 창설한 국왕 호위 부대인 장용영의 초관을 지냈다. 이 시기에 군사 훈련을 담당하면서 각종 무예 기법을 정리한 내용이 나중에 『무예도보통지』의 토대가 되었다.

그의 삶은 해피 엔딩이 아니다. 충청도 비인 현감과 평안도 박천군수를 지낸 뒤, 말년에 불미스러운 사건에 휘말려 귀양에 처해진 기록이 보인다. 정조 사후 정치적 박해를 받았다는 견해도 있다. 노년의 행적과 죽음을 알려주는 자료는 거의 남아있지 않다. 무사의 삶은 그렇게 흔적이 희미하게 끝났다.

오늘날 기린면의 소재지는 현리이다. 백동수가 살았던 곳은 과연 현리일까. 소설의 저자 김영호는 현리가 아니라 '귀둔'이라는 추론을 내놓는다.

> 몇 가지 단서를 놓고 추론해볼 때, 백동수가 이삿짐을 푼 곳은 현재 인제읍에 포함된 기린현 북면 귀둔동으로 여겨진다. 귀둔천을 따라 기다란 협곡을 지나면 갑자기 천혜의 요새처럼 넓은 들판이 펼쳐지는데, 이곳이 귀둔동이다. 두 줄기 시내가 들판을 감싸고 흐르는 귀둔동은 화전을 일구고 방목을 하기에는 제격이었다.
>
> **_김영호, 『조선의 협객 백동수』**

과연 근거가 있는 추론일까. 인제군의 지명 자료에 따르면 귀둔은 본래 춘천부 기린현이 있던 곳이다. 즉, 기린현의 중심은 예전에는 현리가 아니라 귀둔이었다. 1415년 기린현 소재지를 지금의 방동으로 옮기면서 귀둔은 인제군으로 편입되었다. 백동수가 은거할 무렵 귀둔은 이미 춘천부 기린현이 아니었다는 설명이다. 소설은 근거를 제시할 필요가 없다. 저자의 추론에 이의를 달기도 어렵다. 귀둔을 직접 방문해 스치는 바람에게 물어볼 수밖에 없다.

귀둔리는 한계령의 남쪽, 점봉산과 곰배령의 서쪽에 있는 마을이다. 인제 쪽에서 갈 때는 인제스피디움을 지나 귀둔천을 거슬러 오르면 귀둔리이다. 행정기관과 초등학교, 농협과 민가 몇 채가 모여 있는 작고 아늑한 마을이다. 벼농사를 지을 논이 있을 정도로 제법 널찍하다.

마을 이곳저곳을 천천히 걸어 보았다. 작가의 상상력에 고개를 끄덕

일 만했다. 이 벌판 어디쯤에서 무사 백동수가 말을 달리고 활을 쏘았을까. 여기서 동쪽으로 내쳐 달리면 곰배령 탐방로가 시작되는 곰배골에 이른다. 북쪽으로 말을 몰면 필례령을 거쳐 한계령에 오른다. 그의 발길은 아마도 이 산하 곳곳을 누볐으리라. 저 능선에서 거친 호흡을 토하고, 계곡에서 갈증 난 목을 축였으리라.

귀둔은 과연 장풍득수(藏風得水)의 땅이었다. 그 물과 바람이 새로운 세상을 꿈꾸는 한 사내를 품어주고 키워냈다. 기린에서의 8년은 백동수의 인생에서 가장 의미 있고 상징적인 시기였다. 실의와 좌절을 이겨내고 의지와 희망을 키우며 미래를 준비한 기간이었다.

세상이 나를 받아주지 않을 때 흔쾌히 물러나 은거할 수 있는가. 불확실한 미래를 기다리며 스스로 단련하고 연마할 수 있는가. 무사 백동수의 호연지기는 오늘도 산하의 바람으로 흐르고 있다.

숲에서 만난 검은 고독 흰 고독

아침가리골

걷기는 고독한 대화이다. 혼자 걸으며 주고받는 절대 고독과의 대화. 이를 가장 극적으로 체험한 사람은 라인홀트 메스너일 것이다. 그는 히말라야 고봉 14좌를 최초로 등정한 산악인이다. 특히 에베레스트 무산소 등정이나 낭가파르바트 단독 등정 같은 빛나는 기록을 남겼다. 그로 인해 세계등반사에는 무산소 등정과 단독산행 시대가 열렸다. 그는 등반가인 동시에 뛰어난 저술가이기도 하다. 『검은 고독 흰 고독』, 『죽음의 지대』, 『모험으로의 출발』 같은 저서를 남겼다. 이 책들은 극한에 도전하는 일반적인 등반기를 넘어선다. 등반을 철학의 경지로 끌어올렸다는 평가와 함께 저명한 산악문학상을 세 번이나 수상했다.

『검은 고독 흰 고독』은 낭가파르바트 단독 등반의 기록이다. 파트너도, 장비도, 산소통도 없이 오직 8,000m의 빙벽과 마주한 한 인간의 내면을 치열하게 묘사한다. 산소부족과 탈진으로 현실과 환상이 교차하는 죽음의 지대에서 고독은 검은 어둠처럼 에워싼다. "고독은 너를

죽이는 힘이다. 느닷없이 너에게서 터져 나오면 고독은 지평선 저 너머로 너를 데려간다." 나약하면서도 위대한 인간은 절대 고독 앞에서 자신의 행위와 존재를 돌아보며 끊임없이 질문을 던진다. 집요하게 따라붙는 불안과 공포와 화해하고, 그림자처럼 곁에 와있는 죽음과 대화를 나눈다. 마침내 고독은 어둡고 두려운 모습을 벗어던지고 자신의 존재를 인식하게 해주는 힘으로 바뀐다.

> 이 높은 곳에서는 아무도 만날 수 없다는 사실이 오히려 나를 지탱해 준다. 고독이 더 이상 파멸을 의미하지 않는다. 이 고독 속에서 분명 나는 새로운 자신을 얻게 되었다. 고독이 정녕 이토록 달라질 수 있단 말인가. 지난날 그렇게도 슬프던 이별이 이제는 눈부신 자유를 뜻한다는 걸 알았다. 그것은 내 인생에서 처음으로 체험한 흰 고독이었다. 이제 고독은 더 이상 두려움이 아닌 나의 힘이다.
>
> _라인홀트 메스너, 『검은 고독 흰 고독』, 김영도 옮김

등반은 걷기의 연장이면서, 동시에 걷기를 통한 가장 가혹한 수련과 정진으로 확장된다. 그래서 훌륭한 등반가는 종종 진리를 찾아 떠나는 구도자의 모습에 가깝다. 그들은 삶과 존재의 의미를 찾아 세상 끝까지 걷는다. 어둡고 검은 고독을 헤치고 마침내 희고 찬란한 고독과 만난다.

영혼의 고독은 풍요로운 사색을 잉태한다. 영혼이 가장 슬플 때 빛

나는 사유가 탄생한다. 영혼의 눈물이 곧 문장이다. '고독은 더 이상 두려움이 아닌 나의 힘'이라고 한 메스너의 경지는 까마득히 높아 보인다. 그와 나 사이에는 8,000m의 거리가 있다.

스스로 한없이 작고 초라해지는 날, 친구 모두가 나보다 훌륭하게 뵈는 날, 배낭 속에 책 한 권 넣고 시외버스를 탄다. 산과 숲을 찾아 스스로 고독 속으로 걸어간다. 오, 가엾은 인간이여. 자연은 말없이 등을 다독이고 슬며시 말을 건넨다.

나로 하여금
세상의 모든 책을 덮게 한
최후의 지혜여,
인간은 고독하다!

_김현승, 인간은 고독하다(부분)

불면의 밤을 뒤척이고 난 어느 새벽 홀로 집을 나섰다. 내린천 상류 깊숙한 곳에 길고 깊고 울창한 계곡이 있다. 내린천 일대에는 한국의 대표적 오지로 꼽히는 삼둔사가리가 흩어져 있다. 삼둔사가리는 '둔' 자가 들어가는 세 곳과 '가리' 자가 들어가는 네 곳을 말한다. 삼둔은 살둔, 월둔, 달둔이고, 사가리는 아침가리, 연가리, 적가리, 명지가리를 가리킨다. 크게 보면 이 일곱 곳이 모두 방태산 자락에 숨어 있다. 방태산 남쪽에 해당하는 미산계곡과 그 상류 쪽에 삼둔이 있고, 북쪽 기슭의 진동계곡과 그 언저리에 사가리가 흩어져 있다.

삼둔사가리는 늘 『정감록(鄭鑑錄)』이라는 책과 함께 언급된다. 이 책에 전쟁을 피할 수 있는 십승지(十勝地)의 하나로 삼둔사가리가 나온다는 말이 떠돈다. 마을 안내판에도 그렇게 써 둔 곳이 있다. 사실인지 좀 의심스럽다. 정감록이라는 책이 원체 정체불명이니 과연 정본(定本)이 존재하는지도 불분명하다. 흔히 도선국사나 정도전을 저자로 꼽지만, 확증은 없다. 대체로 이런 종류의 서적은 강호의 숨은 기인 술사들이 짓고 퍼트린다. 후대의 모작이나 위작도 많이 나온다. 출판된 몇 종류의 정감록을 뒤져봤지만, 삼둔사가리는 찾지 못했다. 십승지도 여러 버전이 있는 듯한데, 대체로 강원도 땅에서는 영월 동쪽(寧越正東上流) 한 곳을 꼽았다.

어쨌든 전쟁도 피해 갈 만한 오지라는 뜻으로 삼둔사가리를 꼽는다면 틀린 말은 아니다. 적어도 조선시대에는 그랬을 것이다. 전쟁 중에 점령군이 들어오지 않으려면 교통이 불편하거나 전략적 가치가 없어야 한다. 삼둔사가리가 지금도 여전히 그런 오지인지는 의문이다. 길이 뚫리고 포장도로가 나면서 대부분 자동차로 근처까지 갈 수 있다. 여전히 접근이 불편한 곳이라면 아침가리와 명지가리 정도이다. 두 곳 다 방태산과 가칠봉 사이로 길게 뻗은 아침가리 계곡의 중간에 있다. 아침가리가 먼저 나오고 명지가리는 더 상류 쪽이다.

아침가리 가는 길은 보통 기린면 방동리 방동약수를 기점으로 잡는다. 약수터에서 고개를 하나 넘어야 하는데 고갯마루까지는 포장도로가 이어진다. 비탈길을 3km쯤 오르니 관리초소인 방동 안내센터가 나타났다. 여기서부터는 차를 두고 걸어가야 한다. 이 길은 산림청이 관리하는 백두대간 트레일 제6구간의 일부이다. 사전 예약한 탐방객만 들어갈 수 있는데, 그나마 하루 100명으로 제한된다. 이 길은 아침가리로 가는 편한 길이다. 단점은 아침가리 계곡의 허리로 치고 들어간다는 점이다. 계곡의 아기자기한 맛을 생략하는 아쉬움이 있다.

다른 방법은 처음부터 계곡 트레킹으로 나서야 한다. 아침가리 계곡의 하류와 방태천이 만나는 진동리에서 시작한다. 이쪽에도 초소가 있기는 하지만, 출입 기록만 남기면 입장이 허용된다. 대신 수시로 물에 빠지며 계곡을 건너야 하는 험난한 길이다. 계곡 중간쯤부터는 핸드폰 연결도 끊긴다. 길을 따라가다 보면 길은 자주 물속으로 사라졌다가 건너편에서 나타난다. 원시림으로 들어가는가 싶더니 어느새 편안한 산책길이다. 다시 시원한 물소리가 귀를 씻는다. 계곡 곳곳에 천연 수영장 같은 못이 있어 한여름 탐방객을 유혹한다. 이런 물과 숲의 향연이 약 6km에 걸쳐 펼쳐진다. 시간을 잊은 채 놀며 쉬며 걷고 즐기겠다는 마음이라면 이만한 데가 없다.

이 두 코스를 연결해 걸으면 참 좋을 듯하다. 한 번도 그렇게 해보지 못했다. 늘 차가 문제이다. 차 없이 오면 불편하고, 차를 가져와도 불편하다. 이런 불편함이 이 계곡의 훼손을 막고 청정 수림을 보호하는 역할을 한다. 아침가리는 제 발로 걷는 이에게만 길을 열어준다. 자동차로는 접근할 수 없는 마지막 오지이다. 몇 군데라도 이런 불편함을 지켜내야 한다.

결국은 두 차례로 나눠 이쪽저쪽을 모두 걸었다. 두 길은 조경동교라는 다리에서 만난다. 방동 안내센터에서 내리막길로 한 시간 정도 걸으면 나온다. 여기서부터 아침가리이다. 조경동(朝耕洞)은 아침가리 마을을 한문으로 옮긴 이름이다. "아침에 밭을 갈 정도의 해만 비치고 금세 저버릴 만큼 첩첩산중이라서, 또는 밭뙈기가 하도 작아 아침나절에 다 갈 수 있다고 해서 그렇게 이름 붙였다고 한다." (마을 안내판) 한때는 이 계곡 안에 수백 명의 화전민이 살았지만, 60년대 무장 공비 사건 이후 모두 이주시켜 이제는 두어 가구만 남았다. 마을 안내판에 적힌 내용인데, 지금은 그 두어 가구조차 이주했는지 인적 없이 고요했다.

계곡 상류 쪽으로 30분 정도 더 가면 폐교된 지 오래된 분교가 하나 있다. 방동국민학교 조경동 분교이다. 1985년 2월 폐교될 때까지 모두

25명의 졸업생을 배출했다는 기록이 보인다. 예전에 이곳 쉼터에 고급 선글라스를 두고 온 적이 있다. 다시 올 때마다 혹시 하며 둘러보는 습관이 생겼다. 수십 년이 지나도 마음에서 놓아 보내지 못했나 보다. 자연은 이토록 무상으로 베푸는데 그깟 유리 조각 하나가 뭐라고 그리 애착한단 말인가.

아침가리를 몇 번 왔지만 늘 여기서 발걸음을 돌리곤 했다. 이 길은 명지가리 약수와 구룡덕봉 삼거리를 거쳐 삼둔의 하나인 월둔으로 연결된다. 명지가리 약수까지 가려면 7.7km, 두 시간 반 정도 더 가야 한다. 방동약수에서 아침가리와 명지가리를 거쳐 월둔 마을까지 걷는다면 거의 20km가 나온다. 풍부한 물과 울창한 숲이 있는 매력적인 구간이다. 언젠가 이 장대하고 고독한 길을 마저 걸어보리라.

> 고독으로 가는 길은 참으로 어렵다.
> 네가 알고 있는 것보다 더.
> 꿈의 샘도 말라 있다.
> 그러나 믿으라.
> 네 길의 끝자리에 고향이 있으리라.
> 죽음과 부활이,
> 그리고 무덤과 영원한 어머니가.
> **_헤르만 헤세, 고독으로 가는 길(부분), 송영택 옮김**

걷기는 나직하고 느슨하게 주고받는 대화이다. 우리는 홀로 걷되 혼자가 아니다. 자주 걷는 사람은 늘 누군가와 대화한다. 그 누군가는 내면 깊숙이 자리 잡은 자신의 고독일 수도 있다. 또는 아릿한 슬픔과 아픔 너머로 찾아오는 초자연적인 존재일 수도 있다. 길을 걸으며 누군가와 동행하는 듯한 느낌은 결코 우연이 아니다. 마음의 주파수가 낮고 느릴 때 내면의 문이 열린다. 들리지 않던 소리가 들리고 고독이 스스로 입을 연다. 그런 대화에 맡겨두면 어느덧 상처가 아물고 안개가 걷힌다. 검은 고독이 슬며시 스러지고 흰 고독이 다가와 어깨를 감싼다. 이제 저 사람들의 숲으로 돌아가도 두렵지 않으리라.

천상의 화원

곰배령과 설피마을

산을 즐기는 성향에도 두 부류가 있다. 산꾼들은 흔히 '설악산 파'와 '지리산 파'로 부른다. 기암괴석의 암릉미를 좋아하는 사람은 설악산 파에 속한다. 웅장한 산세와 장대한 파노라마를 선호한다면 지리산 파이다. 전자는 짜릿한 릿지(ridge) 등반에 빠져들고, 후자는 종주 산행을 최고로 친다. 화려하고 빼어난 산이 좋은가, 푸근하고 웅장한 산이 좋은가. 산이 많은 나라에 태어나서 이처럼 다양한 산을 즐길 수 있다는 것은 분명 축복이다.

설악산과 점봉산은 한계령을 사이에 두고 마주 보고 있는 산이다. 같은 설악산국립공원에 속하면서도 산의 기운과 품성이 전혀 다르다. 한쪽은 울퉁불퉁한 근육으로 빼어나고, 다른 쪽은 어머니의 품처럼 푸근하다. 설악은 공룡능선과 용아장성, 화채능선으로 화려하고, 점봉은 야생화가 지천으로 피어나는 '천상의 화원' 곰배령을 품고 있다. 흔히 말하는 골산(骨山)과 육산(肉山)의 대표 격이다.

점봉산 일대는 희귀식물이 많아 산림유전자원보호구역으로 설정돼 있다. 유네스코 생물권 보존구역이기도 하다. 산나물이나 약초 채취 등 입산과 등산이 모두 금지된다. 다만 점봉산 남쪽 자락인 곰배령만 생태탐방로를 통해 방문할 수 있다. 그것도 하루 탐방 인원을 제한하고, 사전 예약제로만 운영한다.

곰배령 탐방은 곰배골 코스와 진동리 코스가 있다. 곰배골 코스는 인제군 인제읍 귀둔리에 있는 설악산국립공원 점봉산분소에서 시작해 3.7km를 걷는다. 진동리 코스는 인제군 기린면 진동리에 있는 산림청 점봉산생태관리센터에서부터 5.1km이다.

곰배령을 사이에 두고 서쪽에 곰배골, 동쪽에 진동리가 있다. 두 길은 곰배령에서 서로 만나지만, 그대로 넘어갈 수는 없다. 출발했던 곳으로 되돌아와 하산을 확인받아야 한다. 국립공원관리공단과 산림청이 영역 다툼을 하는 모양새다. 실제로 점봉산을 설악산국립공원으로 편입할 당시에 두 부처가 상당한 갈등을 빚었다. 결국 국무총리실이 나서서 타협안을 제시한 결과가 현재의 시스템이다. 어차피 자동차로 접근할 수밖에 없어서 원점 회귀에 큰 불만은 나오지 않는다.

곰배령의 해발고도는 1,164m이지만, 출발점의 고도가 이미 높아서 느긋한 마음으로 걸을 수 있다. 곰배골은 해발 550m, 진동리 코스는 750m쯤에서 출발한다. 진동리 쪽이 더 완만하다 보니 탐방객이 많은 편이다. 한적함을 즐기고 싶을 때는 곰배골이 좀 낫다. 등산이라 하기에는 좀 약하고, 산책이라 하기에는 좀 오름세가 있는 수준이다. 소요시간은 둘 다 왕복 4시간 정도로 엇비슷하다.

어느 쪽을 선택해도 청량한 물소리를 들으며 걷는 숲길이다. 수량이 풍부하고 군데군데 폭포도 있어 눈과 귀가 함께 즐겁다. 길옆의 풀잎꽃잎에 눈길을 주며 걷다 보면 마음마저 느슨하게 풀어진다. 울창한 수림이 햇빛을 가려, 여름에도 더위나 자외선 걱정을 할 필요가 없다.

몇 년 만에 곰배령을 다시 찾았다. 이쪽저쪽을 다 걸어보고 싶어 일주일 간격으로 올랐다. 숲길이 끝나는가 싶더니 어느새 탁 트인 초원이다. 쏟아지는 햇살과 바람 아래 풀꽃들이 하늘거리고 있다. 마치 놀래주려고 숨겨뒀던 것처럼 느닷없이 나타난 풍경에 탄성을 지른다. 말 그대로 '천상의 화원'이다.

5월 하순 곰배령의 주인공은 미나리아재비와 전호였다. 노랗고 하얀 두 꽃이 초원을 수놓고 있었다. 노란 미나리아재비는 금세 나비가 되어 날아오를 것만 같다. 언뜻 매끈해 보이지만 줄기와 꽃받침에 흰 털이 있다. 전호는 꽃대 끝을 우산대처럼 펼치며 하얀 꽃을 피운다. 멀리서 보면 소금을 뿌린 듯하다. 두 꽃 모두 꽃대가 가늘어 작은 바람에도 일렁이며 춤을 춘다. 푸른 초원에서 펼쳐지는 화려한 군무가 볼만하다.

언젠가 4월에 왔을 때는 보랏빛 얼레지가 많이 보였다. 얼레지의 꽃말은 '바람난 여인'이다. 몇 해 전 곰배령 민박집의 안주인이 가르쳐줬다. 꽃잎이 말려 올라간 모양새가 마치 여인네 치마 같다고 했다. 바람이 쓸고 갈 때마다 무리 지어 핀 얼레지가 유혹하듯 몸을 흔든다. 꽃들은 저마다의 자태로 아름다운데, 장난스러운 꽃말이 엉뚱한 연상을 낳는다.

야생화의 이름은 누가 붙이는지 모르겠다. '바람난 여인'만큼 재미있는 '홀아비바람꽃'도 있다. 한 뿌리에서 꽃대 하나만 올라와 꽃 한 송이를 피운다고 해서 '홀아비'란다. 역시 야생화 박사인 민박집 안주인의 설명이다. 그때 사진을 찍어두지 못한 게 아쉬워 다시 찾았지만, 이번엔 보이지 않았다. 식물 사전에서 찾아보니 학명이 'Anemone koraiensis'이고, 영어로도 'Korean anemone'이다. 'Korea'가 붙은 걸로 봐서 한반도에 자생하는 고유종이 아닐까 싶다.

"내가 그의 이름을 불러주었을 때, 그는 나에게로 와서 꽃이 되었

천상의 화원
곰배령
야생화가 서식하고 있어

다.”(김춘수) 그러나 일일이 이름을 불러주기에는 내 야생화 지식이 너무 짧다. 그럴 땐 바람꽃, 하늘꽃, 보라꽃, 솜털꽃, 별사탕꽃 등으로 내키는 대로 이름을 붙이고 인사를 건넨다. 괜찮다. 꽃들은 개의치 않는다.

애기똥풀은 애기똥과는 별 관련이 없다. ‘바람난 여인’도 바람기와 상관이 없다. 개망초는 망국의 꽃이 아니다. 쥐오줌풀이면 또 어떤가. 꽃들은 그따위 인간의 작명법에는 신경도 쓰지 않을 것이다. 인간이 붙인 이름은 인간들끼리의 약속일 뿐이다. 그런 이름은 스마트폰 앱이나 검색으로도 찾을 수 있다. 차라리 그 시간에 눈인사를 나누고 향기를 한 번 더 맡아보는 게 낫다고 본다.

숨어있는 꽃들이 훨씬 많다. 야생화들은 대체로 크기가 작아서 무심히 지나치기 쉽다. “자세히 보아야 예쁘다. 오래 보아야 사랑스럽다.”(나태주) 그런데 어떤 꽃들은 단번에 마음을 훔치기도 한다. 작은 종처럼 생긴 은방울꽃이 그랬다. 앙증맞다고 해야 할까. 저 은은한 색깔을 뭐라고 해야 하나. 희다는 말로는 표현되지 않는 고결함이 있다. 햇빛조차 부끄러운 듯 이파리 밑에 숨어 핀 모습이 꼭 수줍음 타는 유치원생 같다. 발견하기 쉽지 않은 꽃이라 더욱 반갑고 기쁘다. 곰배령이 베푸는 선물이다. 은방울꽃에 어울리는 시 한 편을 떠올렸다.

외딸고 높은 산 골짜구니에
살고 싶어라
한 송이 꽃으로 살고 싶어라

벌 나비 그림자 비치지 않는
첩첩산중에
값없는 꽃으로 살고 싶어라

해님만 내 님만 보신다면야
평생 이대로
숨어서 숨어서 피고 싶어라
_최민순, 두메꽃

곰배령의 야생화를 제대로 감상하고 싶다면 한두 번으로는 부족하다. 이른 봄부터 가을까지 철마다 달마다 다른 꽃이 피어나기 때문이다. 3월엔 복수초와 노루귀, 한계령풀을 찾는 재미가 있다. 9월엔 구절초와 쑥부쟁이가 흔하고, 금강초롱을 발견하면 큰 행운으로 여길 것이다.

곰배령은 '곰의 배'라고 한다. 멀리서 보면 곰이 배를 하늘로 향하고 누워 있는 모습과 비슷하다는 것이다. 곰배령 위쪽에 있는 작은 점봉산이나 그 너머 점봉산 정상에서 내려다보면, 벌렁 드러누운 곰의 배처럼 보일 것도 같다.

곰배령 화원에서 남쪽으로 물러난 곳에 '호랑코빼기 전망대'가 있다. 가까이로는 점봉산이 보이고, 멀리로는 설악산의 대청봉과 중청봉이 보인다. 고개를 돌려 인제 쪽을 보면 몇 겹의 능선이 파노라마를 이루고 있다.

탁 트인 초원 위로 바람이 분다. 산맥을 넘나드는 바람이 구름을 몰고 와 산허리를 감싼다. 잠시 멍때리고 있으면 천지가 아득해지면서 시간이 멈춘 듯한 환각에 빠진다. 겨우 2시간 숲길을 걸으면 이런 별천지가 있다. 서울에서 오기에는 대중교통이 좀 불편한 게 흠이지만, 바로 그런 불편 때문에 자연환경이 살아있다. 자연은 기꺼이 불편을 감내한 사람에게만 달콤한 보상을 베푼다.

곰배령 탐방을 마치고 진동리 쪽으로 내려오면 마을 카페에서 차를 마시거나 동네를 한 바퀴 돌아볼 만하다. 진동2리는 '설피밭' 또는 '설피마을'로 더 잘 알려졌다. 설피는 눈에 빠지거나 미끄러지지 않도록 신발 바닥에 덧대 신는 일종의 아이젠이다. 다래나무나 노간주나무, 물푸레나무 따위를 둥글게 구부려 만든다. 민박집 바깥주인의 말로는 쇠붙이로 만든 등산용 아이젠보다 훨씬 낫다고 한다. 설피를 신고 멧돼지를 사냥하던 이야기는 이 마을의 살아있는 전설이다. 눈밭에서는 설피 신은 사람이 멧돼지보다 빠르다고 한다.

설피마을은 곰배령, 단목령, 북암령, 조침령으로 둘러싸인 깊은 산촌이다. 백두대간 아래인데다 눈이 많고 교통이 불편해 '하늘 아래 첫 동네'로도 불렸다. 지금은 양양으로 가는 조침령 터널이 뚫리고 포장도로가 나면서 교통이 훨씬 좋아졌다. 조침령 터널 입구 진동삼거리에서 차로 15분 정도면 마을에 닿는다. 곰배령 탐방객이 늘고 펜션과 카페가 생기면서 마을 풍경도 많이 바뀌었다. 그래도 마을의 전통이자 상징인 설피를 이어가려는 노력은 여전하다. 집집마다 설피 몇 켤레씩은 갖추고 있다. 외벽이나 처마 밑에 걸어둔 홍보용 설피도 눈에 띈다. 마을 입구엔 설피 판매를 안내하는 전화번호도 적혀 있다.

새들도 쉬어 넘는 고개

백두대간 조침령

백두대간은 웅장하고 신성한 이름이다. 민족의 성산 백두에서 뻗어 내려 한반도의 등줄기를 이루며 금수강산을 품어낸다. 아름답고 수려한 금강, 설악, 태백, 소백, 지리산을 빚어내고, 생명의 젖줄 한강과 낙동강을 낳는다. 백두대간 종주는 고난과 역경에 도전하는 산악인의 기백을 보여주기 이전에 조국의 산하에 바치는 경건한 숭배 예식으로 여겨졌다. 분단 극복과 민족 통일을 향한 간절한 염원과 기도를 동반했다. 한때 종주가 붐을 이루며 많은 산꾼이 이 길을 걸었다. 꿈을 품었지만 이루지 못했다. 이젠 늦었을까.

산악인 남난희가 홀로 태백산맥을 종주한 때가 1984년이다. 1월부터 3월까지 76일 동안 부산 금정산에서 출발해 진부령까지 걸었다. 한 번에 쉼 없이 등반한 동계 일시 단독 종주였다. 동계, 일시, 단독, 이 세 단어의 무게감은 어마어마하다. 인터넷도 손전화도 SNS도 없던 시절이었다. 부실한 지도와 나침반에 의존해 그야말로 죽을 고생을 하며

백두대간
鳥寢嶺

길을 찾았다. 허리까지 빠지는 눈을 헤치고 하루에 겨우 3km를 간 날도 많았다.

당시 28세 여성의 종주는 '국토의 맥과 얼을 찾는' 고귀한 행동으로 언론에 보도되면서 상당한 화제가 됐다고 한다. 물론 남난희는 이런 고상한 의미 부여를 단호히 거부한다. 그에게 산은 그저 숙명이고, 천국인 동시에 지옥이었을 뿐이다. 고통이자 희열, 희망 같은 절망, 슬픈 체념, 눈물 어린 환희, 자학과 구원, 삶이며 죽음 같은 존재였다. 흔한 말로 산은 모험이자 도전이며, 젊은 날의 열정과 낭만이며, 위로와 치유를 주고, 어머니의 품처럼 포근하고 아늑한가. 남난희에게 그렇게 말했다가는 한 대 맞을지도 모른다.

이 종주기는 1990년『하얀 능선에 서면』이라는 책으로 출간돼 큰 반향을 일으켰다. 당일 산행 위주의 산행기가 대부분이던 시절이었다. 해외 원정이 아닌 국내 등반으로도 이토록 치열하고 수준 높은 산악 체험이 가능하다는 사실에 모두 놀랐다. 삶이 허전하고 막막할 때 이 종주기를 꺼내 읽으면 정신이 번쩍 든다.

> 산은 무엇인가? 산은 내게 무엇인가? 등산이 건강에 좋다고 했는가. 마음이 넓어진다고, 순수한 스포츠라고, 누가 그렇게 호화로운 수식어를 썼는가? 정신, 육체, 고통, 비교? 어림없는 소리, 너무 편해서 하는 소리. 이것은 그 자체가 고통이다. 고문이다. 지옥이다. 죽음이다. 나는 차라리 전쟁터에 나가겠다. 지옥에 가겠다. … 나는 왜 헤어나지 못하는가? 왜 이런 고통을 혼자서 고스란히 감

당해야만 하는가? 난 힘이 없다. 꼼짝할 수 없었다. 산은 나를 놓아주지 않았다. 꼼짝없이 산의 노예가 되었다. "나를 용서해 주세요. 겸손할게요." 날이 저물었다. 또 집을 지었다. 나는 쓰러지듯이 텐트 안으로 넘어졌다. 비로소 운다. 뜨겁게 뜨겁게. 또 눈이 온다. 걱정할 기력도 없다.

_남난희, 『하얀 능선에 서면』

백두대간의 역사는 극적이다. 남난희의 태백산맥 종주는 산악인들의 백두대간 종주 붐보다 훨씬 이르다. 일제 강점기 이후 폐기되다시피 한 백두대간 개념은 대략 90년대 초반에 다시 등장하며 학계와 산악계의 주목을 받았다. 고지도 연구가인 이우형(광문사 대표) 선생의 공이 컸다. 그는 대동여지도 등 옛 지도 연구에 매달려 '현대판 김정호'라는 별명을 얻었다. 또는 새로운 고산자(古山子)라고 해서 신산자(新山子)로도 불린다. 어느 날 인사동 고서점에서 우연히 『산경표』라는 낡은 책을 발견하고 그 가치를 세상에 알린다. 옛 지도를 연구하면서 고민했던 의문을 푸는 열쇠가 거기에 있었기 때문이다. 이우형은 『산경표』에서 백두대간 개념을 찾아내 기존의 산맥 분류에 문제를 제기했다. 그가 찾아낸 우리 고유의 분류 체계는 1대간 1정간 13정맥이었다. 젊은 산악인들이 적극 호응하며 백두대간 숭배에 나섰다.

그때까지 초중등 교과서와 지도는 일본인 지질학자가 작성한 14개 산맥 분류를 따르고 있었다. 이 분류에 따르면 백두대간은 추가령 구조곡을 사이에 두고 끊겨 있다. 북쪽은 낭림산맥, 남쪽은 태백산맥이다. 학계와 교육계로서는 난감한 일이었다. 옛 문헌 하나만으로 기존의 이론을 버릴 수도 없고 검증되지 않은 개념을 선뜻 받아들이기도 어려웠다.

2005년 국토연구원이 이 논란에 마침표를 찍었다. 위성영상과 지리정보시스템 등 첨단기법을 동원해 한반도 지형을 3차원으로 재현한 새로운 산맥지도를 발표했기 때문이다. 국토의 등뼈에 해당하는 백두대간은 백두산에서 지리산까지 약 1,494km에 걸쳐 줄기차게 뻗어 있는 것으로 나타났다. 백두산에서 금강산, 설악산, 속리산을 거쳐 지리산에 이르는 백두대간은 단 한 곳의 단절도 없이 한 줄기로 연결되어 있었다. (산림청, 『백두대간 백서』) 대동여지도의 승리였다. 물론 지질학적 개념인 산맥과 눈에 보이는 산줄기를 구분해야 한다는 반론도 있다.

백두대간을 비교적 가볍게라도 걸어보고 싶다면 조침령이 적당하다. 이 일대의 백두대간은 소 등짝처럼 유순하고 부드럽다. 조침령은 인제군 기린면 진동리와 양양군 서면 서림리를 잇는 고개이다. 인제군과 양양군의 경계를 이룬다. 예전엔 '새들도 쉬어 넘는 고개'라 할 만큼 첩첩산중이었다. 2006년에 조침령 터널이 뚫리면서 두 고을이 아주 가까워졌다. 덕분에 조침령 옛길은 백두대간에 올라서는 가장 편한 등산로로 바뀌었다.

조침령의 해발고도는 770m이지만, 시작 지점의 높이가 이미 600m를 넘는다. 걷기는 인제군 기린면 진동삼거리에서 시작한다. 조침령 터널 입구에 있는 터널 관리사무소가 기점이다. 오른쪽으로 보이는 널찍한 비포장 차도의 흔적이 바로 조침령 옛길이다. 지금은 산림관리용 임도로 활용한다.

언제부턴가 이런 임도가 반갑다. 젊은 날엔 무슨 호객꾼이라도 만난 듯 피했던 길이다. 요즘은 노쇠한 다리가 먼저 이끈다. 임도는 흙길이어서 좋다. 낙엽이 뒹굴거나 솔잎이 곱게 쌓여 운치를 더한다. 임도 걷기는 고된 산길과도 다르고, 흔한 둘레길과도 다르다. 숲길의 호젓함이 있고 흙길이 주는 편안함이 있다. 가파르게 오르지 않고 굽이굽이 돌아가는 푸근함이 있다. 느리게 걷고 생각하며 걷는 명상의 길이 될 수 있다.

느릿느릿 20분 정도 오르면 백두대간 마루금을 밟는다. 백두대간, 참 쉽네. 마루에 '조침령'이라고 쓴 오래된 바윗돌이 서 있다. 국군 3군단 공병여단이 1984년에 이 고갯길을 준공했다고 쓰여 있다. 조금 더 가면 '백두대간 鳥寢嶺'이라고 쓴 대형 바윗돌이 보인다. 뒷면을 보니 산림청이 2007년에 세운 표석이다. 조침령의 한자 표기는 문헌마다 조금씩 다르다. 최근에는 鳥寢嶺으로 굳어지면서 '새들도 자고 넘는 고개'라는 해석을 공인한 셈이다.

여기서부터 임도를 벗어나 산길로 접어든다. 대간을 따라 걸으면 군데군데 전망이 트이면서 양양과 동해가 보이기도 한다. 백두대간이니 당연히 동쪽으로 일망무제의 조망이 확보될 것 같지만 실제론 그렇지 않다. 나무와 숲이 시야를 가리고 날씨도 변수가 된다.

대략 2.5km 정도를 한 시간 남짓에 걸었다. 펑퍼짐한 안부가 나타나면 더 갈 것인지 곧은골(또는 고등골) 코스로 내려갈 것인지 선택해야 한다. 봉우리를 하나 더 넘으면 진동호가 보이고, 진동리 설피마을 쪽으로 내려갈 수 있다.

해발 900미터에서 만나는 호수가 이채롭다. 등고선 지도를 보니 마루금에서 불과 50m 아래이다. 사실상 백두대간에 있는 유일한 호수가 아닐까. 아무래도 이상하다. 흘러드는 계곡도 없는데 이 물은 어디서 오는가. 진동호는 인공 호수이다. 공식 명칭은 양양 양수발전소 상부댐이다. 하부댐은 양양군 서면에 있다. 그러니까 이 호수는 하부댐의 물을 끌어 올려 상부댐에 저장하면서 생겼다. 그 물을 다시 하부댐으로 낙하시켜 전력을 생산하는 방식이다.

당연히 건설 반대 움직임이 있었을 것이다. 백두대간 보호론이 전력 수급론에 밀렸나 보다. 댐은 건설되고 논란은 호수가 삼켜버렸다. 그 전력의 혜택을 누리면서 뭐라 하기도 참 그렇다. 풍력 발전용 바람개비가 눈길을 끈다. 호수 전망을 즐기도록 둘레길도 조성했다. 마침 물이 말라 거의 바닥을 드러내고 있었다. 그리 보기 좋은 풍경은 아니었다.

진동호를 보지 않으려면 안부에서 곧은골로 내려가면 된다. 사실은 이쪽이 훨씬 운치 있는 숲길이다. 곧은골은 백두대간과 맞닿은 최상류 계곡이다. 저 아래서 점봉산의 물과 만나 방태천으로 흘러든다. 수량이 제법 풍부해 눈과 귀가 즐겁다. 봄여름엔 길옆으로 야생화가 자주 시선을 잡아끈다. 조침령 옛길로 올라갔다가 곧은골로 내려오니 대략 6.5km쯤 나왔다. 세 시간 정도 잡으면 무난했다. 계곡 끝에서 출발 지점까지는 100m 정도이다. 차를 가져가도 불편이 없다는 뜻이다. 곧은골 코스는 (사)인제천리길이 선정한 명품 조망의 하나이다. 인적이 드물어 길이 희미해질 때마다 '인제천리길' 리본이 방향을 잡아준다.

백두대간 종주는 조침령 이후 북암령과 단목령을 거쳐 점봉산으로 이어진다. 이 구간은 산림 보호를 위한 출입 금지 영역이다. 따로 허락을 얻어야 한다. 태백산맥을 종주하던 산악인 남난희가 조침령 구간을 통과한 날은 3월 8일이었다. 그날 쇠나드리에서 출발해 단목령까지 갔다. 이어서 단목령에서 점봉산까지 도상 거리 6km를 꼬박 이틀에 걸쳐 전진한다. 그야말로 눈과의 사투였다. 뼛속까지 사랑했던 설악을 눈앞에 둔 그 며칠의 기록은 특히 처절하다. 치열하게 산을 추구했던 그는 겸손하게 고백한다.

> 한때는 산을 갖겠다고, 설악을 소유하고 싶어 하기도 했고, 그 설악에 소유 당하고 싶기도 했었는데 직접 체험해 보니 아니다. 이것도 저것도 아니다. 인간은 인간일 뿐이고, 산은 산일 뿐이다. 지나간 것은 모두 나의 욕심일 뿐이다. 산을 소유한다거나 소유 당한다거나 그것은 다 인간의 말장난에 지나지 않는다. 산은 견고하다. 철저한 자기 세계를 가지고 있다. 누구의 도전에도 꿈쩍하지 않는다. 그러므로 산은 도전의 대상도 될 수 없다.
>
> **남난희, 『하얀 능선에 서면』**

죽음 직전까지 자신을 몰아붙여 본 사람은 뭔가 다르다. 라인홀트 메스너가 그렇고, 남난희도 그렇다. 그들의 글은 겸허하고 진솔하다. 그들의 독백에는 인간과 자연, 삶과 죽음에 관한 고독한 깨달음이 들어있다. 스님의 법어처럼, 산은 산이고 물은 물일 뿐이다.

여류계곡과 개인약수

미산계곡에 가고 싶다. 늘 마음을 끌어당긴다. 오죽하면 미산(美山)이겠는가. 미산동천(美山洞天)이라고도 했다. 그 계곡 어딘가에 그렇게 쓴 바윗돌이 있다. 인제군 상남면 상남리에서 홍천군 내면 광원2리까지 446번 도로가 이어진다. 굽이굽이 절경이 펼쳐지는 계곡이다. 오대산과 방태산의 물줄기를 모은 내린천이 흐른다.

이 땅 곳곳이 아름답고 수려하지만, 특히 내린천 일대의 자연 풍광은 경이롭고 장엄하다. 내린천은 오대산 산줄기에서 발원해 인제군 미산계곡으로 흘러든다. 내린천의 기점을 홍천군 내면 광원리 을수골로 보는데, 그 입구에 칡소폭포가 있다. 내린천 발원지는 이 폭포에서 계곡을 따라 6km 정도 더 올라가야 한다. 내린천은 칡소폭포 이후로 여러 지천을 끌어들이며 흐른다. 홍천군 명개리 쪽에서 오는 계방천과, 계방산 자락에서 나온 자운천도 내린천으로 모인다.

내린천의 다른 물줄기는 점봉산 쪽에서 발원한다. '천상의 화원'이

있는 곰배령 계곡에서 흘러나온 물은 방태천으로 흐르며 힘을 키우다가 인제군 기린면 현리에서 내린천과 합류한다. 두 물줄기는 합류 이후에도 내린천이라는 이름으로 흐르다가 인북천과 만나면서 그 이름을 다한다. 그때부터는 소양강이다.

누군가 미산계곡을 일컬어 비조불통(非鳥不通)이라 했다. '새가 아니면 닿지 못한다'는 뜻이다. 특히 계곡 중간쯤에서 개인산(1,341m) 중턱 개인약수로 가는 길이 그렇다. 예전에 계곡을 건너는 다리가 없던 시절에는 아예 접근조차 어려웠다. 물살이 거세고 바위가 많아 배를 띄우기는 불가능했다. 마을 사람들은 가파른 산비탈에 쇠줄을 매어놓고 도르래에 매달려 건너곤 했다. 겁먹지 말자. 지금은 소개인동교부터 개인약수까지 약 5.1km를 생태탐방로로 조성해 호젓하고 청정한 산책을 즐길 수 있다.

소개인동교를 건너면 '개인산방(開仁山房)'이라 쓴 바위가 보인다. 『감옥으로부터의 사색』의 저자 신영복 선생의 글씨로 알려져 있다. 이 산방의 원래 주인은 신○휴라는 분이다. 신영복 선생이 출소 후 대학 후배를 보러 왔다가 그 압도적 경관에 마음을 빼앗겼나 보다. 이곳에서 꽤 오래 머물며 '더불어숲학교'라는 인문학 강좌를 열기도 했다.

신영복 선생과는 대단치 않은, 작은 인연이 있어, 그때 꼭 와보고 싶었지만 여의찮았다. 강좌가 끝난 뒤에야 뒤늦게 이 계곡을 찾았다. 그때는 담쟁이덩굴이 타고 오른 아늑한 산장과 소박한 정자가 있었다. 지금 개인산방은 어느 기업인의 소유로 바뀌어 번듯한 건물을 새로 짓고 외인의 출입도 금지하고 있다.

탐방로는 내린천의 본류를 벗어나 개인약수 쪽으로 오른다. 약수터

로부터 흘러내리는 물줄기가 처음부터 끝까지 길을 안내한다. 수량이 풍부하고 물소리가 기운차다. 함께 온 L 대종사가 "좀 시끄럽다"라고 할 정도로 울림이 크다. 길옆으로 다래 넝쿨과 노란 산괴불주머니도 자주 보인다.

길은 계곡 이쪽저쪽으로 이어지며 완만하게 오른다. 물 건너는 횟수가 한 스무 번은 될까. 그때마다 돌로 놓은 징검다리가 있다. C 화백의 등산화가 살짝 물에 잠겼다. 요즘 어디 가서 이런 운치를 누리겠는가. 그것도 나뭇잎의 푸른색이 묻어나는 1급 청정수이다.

이 계곡은 미산계곡으로 흘러드는 개인산의 한 물줄기이다. 온라인 지도에는 여류계곡이라 했다. 얼마 전까지 통제구간이었던 탓에 좀 낯선 이름이다. 한자 표기는 알 수 없으나 만일 '여류(麗流)'라는 뜻이라면 정말 잘 어울린다. 혹은 여류(如流), '흐르는 물처럼'이면 어떻겠나. 그렇게 해석하고 나니 갑자기 득도라도 한 듯 오도송이 터져 나온다. 물도 흐르고 바람도 흐른다. 멈췄다 휘돌고 다시 흐른다. 세월도 인생도 흐르고 흘러 끝내 영겁의 시간 속으로 소멸한다. 이제라도 아둔한 집착을 내려놓고 흐르는 물처럼 살고 싶다.

> 바람과 구름이 구름과 강물이
> 강물과 바다가 꼬리 물고 있다.
> 바다가 햇살을 달빛이 번개를 노을이 강바람을 꼬리 물고 있다.
> 언덕과 산악, 사막과 도시, 궁전과 움막들이
> 있는 것은 무너지고
> 무너진 것들은 흘러가고 있다.
> … (중략) …
> 난 것은 모두 죽고, 죽은 것에서 다시 나,
> 소용돌이 소용돌이
> 저절로의 흐름,
> 침묵에서 침묵으로의 영원한 있음,
> 있는 것도, 없는 것도
> 모두 거기 있고 없는
> 해와 달, 하늘 땅이 꼬리 이어 도는
> 천의, 억의 영겁 천지 바람 불고 있다.

_박두진, 유전도(流轉圖) 수석열전 · 68

이 길은 산림청이 선정한 약수숲길 4구간이면서, 인제군민이 설정한 인제천리길의 한 구간이기도 하다. 원래 통제구역이었던 계곡에 2017년 탐방로를 조성하고, 험한 구간엔 데크(deck) 발판도 설치했다. 이제는 아주 편하고 호젓한 길이 되었다.

느릿느릿 3.6km를 오르면 산장과 찻집을 운영하는 미산너와집에 닿는다. 그 옆으로 풍차 모양의 펜션도 보인다. 언뜻 보아 다섯 가구쯤이 사는 동네다. 여기서 약수터까지는 1.5km를 더 가야 한다. 경사가 살짝 높아진다.

약수터 가는 길에 이런저런 전설과 이야기를 기록한 안내판이 드문드문 서 있다. 약수를 처음 발견한 사람은 함경북도 출신의 포수라고 한다. 1891년에 고종 임금에게 약수를 바치고, 말 한 필과 백미 두 가마, 광목 백 필을 하사받았다고 전한다.

개인약수는 해발 930m 지점에 있다. 남한에서 가장 높은 위치의 약수라고 한다. 철분이 많은 듯, 샘 주위의 돌들이 온통 벌겋게 물들었다. 탄산 성분이 뽀글뽀글 기포를 만들고 있다. 문화재청은 2011년 오색약수, 삼봉약수와 함께 국가 지정 문화재인 천연기념물로 지정했다.

내려오는 길에, 미산너와집에 잠시 머물렀다. 도끼로 쪼갠 너와로 지붕을 얹고, 황토벽에 통나무를 박아 무늬를 냈다. 산장지기 박○달 씨는 자신이 직접 지었다고 했다. "설계도 건축도 제 손으로 다 했죠. 통나무 장작을 때는 구들방이라 건강에 최고입니다." 서울에서 살다가 이곳에 내려온 지 19년째라고 했다. 부인과 함께 천연염색으로 우리

옷을 만들어 판매하는 갤러리도 운영한다. 고도가 높은데다 청정수가 흐르는 서늘한 계곡이 있어 한여름에도 더위 걱정은 없을 듯했다.

하산길은 왔던 길을 되밟았다. 출발점으로 다시 오니 대략 5시간 남짓 걸렸다. 왕복 10.2km. 여류계곡이라는 아름다운 이름을 마음에 담았다. 흐르는 물처럼 살고 싶다

숲속의 도서관

작은 도서관 맹현산방

446번 지방도를 타고 인제군 상남면 미산리를 지나다 보면 도로 옆에 조그만 팻말이 보인다. '작은도서관 맹현산방 1.6km' 늘 무심코 지나쳤지만, 어느 날 문득 궁금해졌다. "저게 뭘까." "저쪽은 맹현봉 가는 길인데, 저 산속에 도서관이 있다고?"

우리는 가끔 어울릴 수 없는 두 가지를 동시에 누리고 싶어 한다. 마음껏 놀면서 좋은 대학에 가고 싶다거나, 최고급 요리를 값싸게 즐기고 싶다는 욕망이 그렇다. 노력 없는 성공, 비용 없는 향유, 고요하고 한적한 도시 생활 등은 아예 불가능하지는 않더라도 대체로 비현실적인 소망들이다.

가끔 꿈을 꾼다. 산도 좋고, 물도 좋고, 바람과 햇살도 좋은 쾌적한 숲속에서, 책도 보고 산책도 하다가 멍때리기도 즐길 수 있는, 그런 멋진 장소가 없을까. 아름다운 자연환경과 우아한 문화생활을 동시에 누려볼 수는 없을까.

맹현산방은 그 이름마저 아름다운 미산(美山)계곡에 있다. 이 계곡을 거슬러 오를 때 협곡의 왼쪽에 개인산과 방태산이 있고, 그 맞은 편에 맹현봉이 있다. 개인약수로 가는 개인약수교 부근에서 맹현봉 쪽 산길로 접어든다.

길은 차가 드나들 정도로 널찍하다. 시멘트 포장과 흙길이 번갈아 나온다. 그래도 차는 두고 가는 게 좋다. 가다 보면 경사가 급해져 곤란에 빠진다. 그보다는 느릿느릿 산길을 걷는 여유와 운치를 놓치기 아깝다.

여기저기 피어난 야생초와 야생화가 심심할 틈을 주지 않는다. 길 옆으로는 제법 수량이 풍부한 계곡이 흐른다. 작은 폭포가 울림을 낳으며 쉬어가라 유혹한다. 햇살 좋은 가을날에 정인과 더불어 두런두런 담소를 나누며 걷기에 딱 좋은 길이다.

맹현산방은 여러 겹의 놀라움을 감추고 있다. 그 첫 번째 놀라움은 드라마틱한 등장이다. 지형이 묘해 전혀 보이지 않다가 갑자기 눈앞에 턱 나타난다. 느닷없이 나타난 동화 같은 풍경이다. 거친 산속에서 만나는 파릇한 잔디 정원과 예쁘장한 목조 주택이다. 깔끔하고 도회적인 아우라에 탄성이 절로 나온다.

대문처럼 자리 잡은 저 바위를 보라. 자연석이 분명한데도 그 위치와 궁합이 절묘하다. 안쪽을 적당히 가리면서도, 또한 슬쩍 열어 보여준다. 세월이 내려앉은 이끼와 덩굴, 군자의 품성처럼 온유한 자태, 자연이 빚어낸 질박한 예술품이다.

마당 안으로 들어서면 산비탈을 그대로 이용한 폭포와 연못이 눈길을 끈다. 깊은 산중에 머물러 본 사람은 안다. 적막함과 고요함은 때

때로 견디기 어려운 무료함으로 다가온다. 인간은 적당한 소음 속에서 오히려 안정감을 느낀다. 폭포와 연못은 이 정적인 풍경 속에 딱 듣기 좋은 음향을 선사한다. 정중동, 고요 속에 파문을 낳고, 풍경에 생명을 불어넣는다. 탁월한 조형이다.

건물은 두 채인데 하나는 주거용인 '맹현산방', 다른 하나는 '작은도서관'이다. 본채에 이어 붙인 널찍한 데크(deck)는 이 동화 같은 풍경의 화룡점정이다. 쭉 뻗어나가는 시야 속에 건너편 산의 능선과 굴곡, 하늘과 구름이 파노라마처럼 펼쳐진다. 이 깊은 산속에서 어찌 이런 탁 트인 전망이 나온단 말인가. 저 능선 위로 달이라도 뜨면 얼마나 아찔할 것인가.

말이 필요 없다. 그저 바라만 보면 된다. 나무 그늘이 있고, 테이블과 의자가 있다. 바람과 햇살이 있고, 물소리, 새소리가 있다. 더 무엇이 필요한가. 치유니, 힐링이니 하는 말은 구차스럽다. 언어가 멈추고, 생각이 멈춘다. 그저 멍하니 바라볼 뿐이다.

이 집의 주인은 도대체 누구인가. 어찌하여 이 깊은 산중에 도서관 지을 생각을 했던가. 아쉽게도 주인을 만나진 못했다. 도서관 한쪽에 연락처가 있길래 전화를 드렸다. "요즘 일이 좀 있어서 주중에는 다른 곳에 나와 있습니다. 주말에 오셨으면 커피라도 한 잔 대접해 드렸을 텐데 아쉽네요." 하○○ 선생은 연배가 높아 보였다. "집을 지은 지는 24년 됐습니다. 서울 생활이 지겨워져서 정주할 곳을 찾다가 이곳에 정착했죠. 아내는 시골살이를 선뜻 내켜 하지 않았는데 이곳 풍광을 보더니 단박에 빠져들었지요."

안주인의 정갈하고 깔끔한 성품은 곳곳에 묻어난다. 딱 넘치지도 부족하지도 않을 만큼의 절제된 아름다움을 도모했다. 세심한 관심과 손길로 가꾸면서도, 군더더기는 배제했다. 무심(無心) 속의 유심(有心), 감탄할만한 미적 감각이다.

작은도서관은 3년 전에 지었다고 한다. 평소 책을 좋아하기도 했고, 뭔가 의미 있는 일을 찾아보자고 부부가 상의한 결과란다. 약 5천 권의 도서를 갖춘 아담한 건물이다. 건물 안팎에 모두 목재를 쓰고, 정원 쪽으로 시원한 통유리를 달았다. 서가에서는 은은한 편백 향이 풍긴다. 도서관 책상 위에 방명록과 함께 시 한 편이 놓여있다.

누구나 세월만으로 늙어가지 않고
이상을 잃어버릴 때 늙어가나니

_사무엘 울만, 청춘(부분)

이 도서관은 365일 24시간 개방돼 있다. 누구든 주인 눈치 볼 필요 없이 들어와 책을 읽거나 빌려 갈 수 있다. 회원증도 열람증도 필요 없다. 출입문 유리에 붙은 조그만 손 글씨가 눈에 띈다. "늘 문은 열려 있음" 책들은 몇 가지 주제별로 분류돼 있다. 배낭에서 이성선 시인의 시집을 꺼내 슬그머니 서가에 꽂아 두었다.

저녁 공양을 마친 스님이
절 마당을 쓴다.
마당 구석에 나앉은 큰 산 작은 산이
빗자루에 쓸려나간다.
산에 걸린 달도
빗자루 끝에 쓸려나간다.
_이성선, 백담사(부분))

이 도서관은 인제군청 누리집의 '작은도서관' 목록에도 소개돼 있다. '우리나라에서 가장 높은 곳에 있는 산골 작은도서관'이라 했다. 인제군의 작은도서관은 모두 15곳인데, 아마도 개인이 세운 도서관으로는 유일하지 않을까 싶다.

감동이 하나 더 남았다. 도서관 입구에 놓여있는 물품이다. 커피와 차, 과자와 사탕, 그리고 컵라면까지 비치해 두었다. 밖에는 물을 끓일 도구도 준비돼 있다. 누구든 필요하면 사용하라는 배려이다. 빈손으로

이곳을 찾아온 방문객이 오히려 미안해지는 순간이다. 함께 간 정인이 말했다. “다음에 올 때는 커피나 과자라도 좀 가져와야겠어요.” 그렇게 선한 마음은 연쇄 효과를 낳는가 보다.

해발 670미터에서 만난 동화 같은 풍경, 거기엔 풍경보다 아름다운 마음이 깃들어 있었다. 하 선생 내외를 만나러 한 번 더 갈 생각이다. 기인(奇人)일까, 이인(異人)일까. 그 삶의 역정과 사유 세계를 만나보고 싶다.

에필로그

젊은 날의 산은 높이였고 속도였다. 모험을 반겼고, 악천후에 기죽지 않았다. 한겨울 눈 속의 비바크(Biwak)도 기꺼워했다. 등산학교에서 암벽과 빙벽에 입문했다. 인수와 선인을 맛보고, 불수도북(불암-수락-도봉-북한산 연등)에 도전했다. 그렇게 빠져들며 1년에 50회 이상 산에 가기도 했다. 정상에선 늘 노래를 불렀다. "아득히 솟아오른 저 산정에~ 구름도 못다 오른 저 산정에~" 그 시절 산은 도전이고 성취였다.

이젠 높이를 추구하지 않는다. 속도도 버린 지 오래다. 정상까지 오르지 않아도 미련이 없다. 종주니, 완주니 하는 단어에는 은근한 거부감마저 생긴다. 여기저기 무슨 길도 많고 인증도 넘친다. 내 노쇠한 다리는 그런 포르테(forte)와 알레그로(allegro)를 감당할 수 없다.

언제부턴가 숲길이 좋아졌다. 등산이라 하기엔 좀 약하고, 평지보다는 좀 오르내림이 있는 느슨한 산길에 마음이 간다. 예전 같으면 외면했을 임도(林道)를 만나면 외려 반갑다. 그 호젓한 산길과 숲길을 안단

테(andante)로 느리게 걷는다.

두 발로 걸어야 한다. 차를 타고 지나면서는 결코 느낄 수 없다. 둘러보니 아름답고 운치 있는 숲길이 많았다. 젊은 날엔 뵈지 않던 길이다. 산은 계곡마다 비경을 숨겨두고, 물은 굽이치며 절경을 만든다. 산줄기와 물줄기가 어우러진 곳에 노루와 멧돼지가 길을 내고, 약초꾼이 발자국을 남긴다. 그렇게 생겨난 숲길에 초록이 피어나고 단풍이 물든다.

홀로 걷는 숲길은 고독하다. 걸음마다 사념이 고인다. 걸으며 생각하고 생각하며 걷는다. 내면에 응어리진 감정이 슬며시 풀려난다. 잊었던 아픔이 떠오르고 사랑하는 사람이 그리워진다. 현실을 인정하고 화해와 용서를 나눌 용기가 생긴다.

걷기는 단순한 육체 활동이 아니다. 걷기에는 항상 그 이상의 사유 세계로 이끌어가는 힘이 있다. 타박타박 발걸음이 두뇌를 자극한다. 새록새록 생각이 솟구쳐 바람과 함께 흐른다. 새소리, 물소리, 바람 소리가 영감을 낳는다. 어떤 이는 기도하고, 다른 이는 노래를 뿌린다. 시인은 빛나는 문장을 길어 올리고, 음악가는 아름다운 가락을 건지기도 한다.

3년 동안 인제 땅 곳곳을 걸었다. 숲길과 산길, 계곡과 능선, 강변과 마을을 느리게 걸었다. 그 주유와 사유의 기록을 정리하면서 스스로 묻는다. 왜 그토록 걷기에 탐닉했을까. 그래서 상처는 아물고 고통은 사라졌을까. 불안과 우울은 멀리 날아갔을까. 잘 모르겠다. 적어도 걷는 동안만은 행복했노라고 말하고 싶다. 위로와 치유는 바람결에 실려 왔다가 나뭇가지 사이로 흩어지곤 했다.

고독은 안개처럼 스며들어 내면 깊숙이 자리 잡는다. 때론 친구처럼 말을 건넨다. 이제 어렴풋이 알겠다. 고독은 결코 사라지거나 해소되지 않는다. 다만 익숙해질 뿐이다. 함부로 치유를 말하지 마라. 자연의 치유력은 오직 견딜 힘을 키워줄 뿐이다. 그러니 고독은 고독으로서 홀로 찬연하다. 고독을 사랑하는 사람은 고독하고, 도망치려는 사람은 더욱 고독하리니. 오직 고독의 성으로 다가가 그 눈부신 성채의 포로가 될 때 우리는 진정으로 자유로울 것이다. 마침내 고독이 우리를 구원 하리라.

우리는 언제나 길 위에 있다. 길 위에서 길을 찾고 길을 묻는다. 길은 대문 밖에서 시작해 땅끝까지 뻗어있고, 마침내 세상을 넘어 하늘로 오른다. 모두가 그 길의 순례자요 구도자일 뿐이다. 저마다 자신만의 인생을 짊어지고 터벅터벅 걷는다. 누구도 대신 걸어줄 수 없는 고독한 길이다. 오늘도 그 길을 나선다.

참고 자료

『명산 설악, 겨울빛으로 깨어나다』 (장정룡, 속초문화원, 2016)

『설악인문기행 1,2』 (권혁진, 산책, 2016)

『백두대간 백서』 (산림청, 2006)

『백두대간 관련 문헌집』 (산림청, 1996)

『완역 정본 택리지』 (이중환, 안대회·이승용 옮김, 휴머니스트, 2018)

『국역 유산기』 (국립수목원, 산림역사 자료 연구총서 4 (강원도), 한국학술정보, 2015)

『조선의 산수』 (최남선, 온이퍼브, 2015, eBook)

「설악행각」 (이은상, 《동아디지털아카이브》 (1933.10.15. ~ 12.20.))

『노산 산행기』 (이은상, 한국산악회, 1975)

『산찾아 물따라』 (이은상, 박영사, 1966)

『하얀 능선에 서면』 (남난희, 수문출판사, 1990)

『검은 고독 흰 고독』 (라인홀트 메스너, 김영도 옮김, 평화출판사, 1989)

『조선의 협객 백동수』 (김영호, 푸른역사, 2011)

「백동수의 생애와 그의 시대」 (김풍기, 강원문화연구 제30집, 2011.08)

『조선불교유신론』 (한용운, 이원섭 옮김, 운주사, 2021)

『십현담 주해』 (한용운, 서준섭 옮김, 어의운하, 2023)

『초판본 님의 침묵』 (한용운, 지식인하우스, 2016)

『朴寅煥 選詩集』 (1955년 초판(산호장) 복각본, 푸른사상, 2021)

『박인환 시 전집』 (박인환문학관 학술연구총서 2, 푸른사상, 2020)

『한국 전후문학의 기수 박인환』 (김영철, 건국대학교 출판부, 2000)

『명동백작』(이봉구, 일빛, 2004)
『명동이야기』(서울역사박물관, 2012)
『서울 문학 기행』(방민호, arte, 2017)
『신경림의 시인을 찾아서』(신경림, 우리교육, 2013)
『은비령』(권순원, 더스타일, 2012)
『나와 나타샤와 흰 당나귀』(백석, 백시나 엮음, 매직하우스, 2019)
『내 사랑 백석』(김영한, 문학동네, 1995)
『백석 평전』(안도현, 다산책방, 2014)
『앞 강도 야위는 이 그리움』(고재종, 문학동네, 1997)
『푸른 고집』(이재무, 천년의시작, 2004)
『박두진 시 전집 4 수석열전』(박두진, 홍성사, 2018)
『김현승 시전집』(김현승, 민음사, 2005)
『이성선 시집』(이성선, 지식을만드는지식, 2012)
『님·밤』(최민순, 가톨릭출판사, 2022)
『릴케의 편지』(라이너 마리아 릴케, 안문영 옮김, 지식을만드는지식, 2012)
『젊은 시인에게 보내는 편지』(라이너 마리아 릴케, 김재혁 옮김, 고려대학교출판부, 2006)
『헤르만 헤세 시집』(헤르만 헤세, 송영택 옮김, 문예출판사, 2013)
〈한계령에서 1〉(정덕수, 한사의 문화마을(카카오스토리))
「인제천리길 코스북 2023」((사)인제천리길, PDF)

사진 제공 : 인제군청

인제를 걷다

발행일 | 2024년 3월 15일
저 자 | 김소일
디자인 | 한정연
펴낸이 | 한건희
펴낸곳 | 주식회사 부크크
출판사등록 | 2014.07.15.(제2014-16호)
주소 | 서울특별시 금천구 가산디지털1로 119 SK트윈타워 A동 305호
전화 | 1670-8316
이메일 | info@bookk.co.kr
ISBN | 979-11-410-7560-6

www.bookk.co.kr